Leonel Melo Rosa

Vamos lá começar!

EXPLICAÇÕES E EXERCÍCIOS DE GRAMÁTICA

Níveis de Iniciação e Elementar

UTILIZAÇÃO NA AULA E EM AUTOAPRENDIZAGEM

Lidel - edições técnicas, lda

Da mesma Editora:

— PORTUGUÊS XXI – NOVA EDIÇÃO
Curso de Português Língua Estrangeira estruturado em 3 níveis: iniciação, elementar e intermédio.
Componentes: Livro do Aluno + CD áudio, Caderno de Exercícios e Livro do Professor.

— PRATICAR PORTUGUÊS
Atividades linguísticas variadas, destinadas a alunos de Português Língua Estrangeira de nível elementar e/ou intermédio.

— OLÁ! COMO ESTÁ?
Curso intensivo de Português Língua Estrangeira destinado a adultos ou jovens adultos.
Componentes: Livro de Textos, Livro de Atividades (que contém um Caderno de Vocabulário) e CD áudio duplo.

— VAMOS LÁ COMEÇAR!
Explicações e exercícios de gramática e vocabulário em 2 volumes (nível elementar).

— NOVO PORTUGUÊS SEM FRONTEIRAS 1
Destina-se a aprendentes principiantes, cobrindo as estruturas gramaticais e lexicais básicas do nível de iniciação e elementar. Inclui CD áudio duplo que contém as gravações dos diálogos, textos e exercícios de oralidade.

— GUIA PRÁTICO DOS VERBOS PORTUGUESES
Manual prático de conjugação verbal. Inclui verbos com preposições e particularidades de conjugação de alguns verbos no Brasil. Contém cerca de 12.000 verbos.

— GUIA PRÁTICO DE VERBOS COM PREPOSIÇÕES
Dicionário de verbos com preposições e os seus respetivos significados. Contém mais de 1.800 verbos com preposições.

— LER PORTUGUÊS
Coleção de histórias originais de leitura fácil e agradável, estruturada em 3 níveis.

— PORTUGUÊS ATUAL 1 e 2
Destinam-se ao ensino/aprendizagem de Português Língua Estrangeira, níveis A1, A2 e B1/B2 e pretendem ser livros de apoio, na sala de aula e/ou em trabalho autónomo. Incluem ainda um CD áudio.

— ENTRE NÓS 1, 2 e 3 (EM PREPARAÇÃO)
Método de Português Língua Estrangeira que contempla os níveis A1, A2, B1, B2 e C1. Cada conjunto de materiais pressupõe entre 100 a 120 horas de trabalho, englobando o trabalho na sala de aula e o estudo autónomo.

— NA ONDA DO PORTUGUÊS 1, 2 e 3
Projeto pedagógico destinado ao ensino de Português Língua Estrangeira e Português Língua Segunda, dirigido a jovens alunos, que privilegia uma abordagem comunicativa por competências e tarefas.

— GRAMÁTICA ATIVA 1 e 2
Destinam-se ao ensino de Português Língua Estrangeira ou Português Língua Segunda e contêm explicações claras e aplicação prática das principais estruturas dos níveis elementar e pré-intermédio – Gramática Ativa 1, e dos níveis intermédio e avançado – Gramática Ativa 2.

EDIÇÃO E DISTRIBUIÇÃO
Lidel – Edições Técnicas, Lda
Rua D. Estefânia, 183, r/c Dto – 1049-057 Lisboa
Tel: +351 213 511 448
lidel@lidel.pt
Projetos de edição: editec@lidel.pt
www.lidel.pt

LIVRARIA
Av. Praia da Vitória, 14 A – 1000-247 Lisboa
Tel: +351 213 511 448
livraria@lidel.pt

ISBN edição impressa: 978-972-757-848-1
1.ª edição: abril 2002
3.ª edição impressa: dezembro 2011
Reimpressão de julho 2018

Pré-impressão: REK LAME Multiserviços Gráficos & Publicidade, Lda.
Impressão e acabamento: Realbase - Sistemas Informáticos, Lda. - Albergaria-a-Velha
Dep. Legal: n.º 336731/11

Capa: José Manuel Reis
Ilustrações: Salvador Matos

ÍNDICE

GRAUS DE DIFICULDADE — Legenda

Grau de Dificuldade 1 | **Grau de Dificuldade 2** | **Grau de Dificuldade 3** | **Grau de Dificuldade 4** | **Grau de Dificuldade 5**

PREFÁCIO

Com o livro *Vamos lá Começar!*, destinado a aprendentes de Português Língua Estrangeira dos níveis de iniciação e elementar, o autor, Leonel Melo Rosa, através da Editora Lidel – Edições Técnicas, continua e prolonga, numa espécie de «inversa navegação», o trabalho iniciado em *Vamos lá Continuar!*, convidando os seus utilizadores a descobrirem as bases, as fundações, do funcionamento da Língua Portuguesa, como casa que se constrói, ou a voltarem ao cais, margem, limiar, de onde se parte para outros horizontes, mar maior, mais ou menos alteroso, mas sempre em busca da alteridade.

Este conjunto de exercícios de gramática e vocabulário apresenta, no entanto, a particularidade de vir a lume em dois volumes separados, facilitando-se assim o seu manuseamento e utilização pedagógica, sobretudo em situações de autoaprendizagem. A grande variedade de exercícios, a sua contextualização em pequenos fragmentos de situações autênticas muito próximas de registos de língua corrente, conferem a este segundo tomo de exercícios uma grande vivacidade, onde rigor, síntese e sistematização das regras de uso da língua vão a par com uma atitude lúdica inerente a toda a aventura de descoberta e de conhecimento. Apesar da separação em duas partes, o autor nunca perde de vista o conjunto, tecendo uma rede entre os vários elementos que compõem o livro, de modo que, por exemplo, na execução de um determinado exercício de vocabulário, o utilizador possa aplicar ou procurar na parte gramatical os elementos de que necessita para produzir os seus enunciados. Todos os fios desta tessitura estão afinal interligados, produzindo a rede para suster o utilizador no difícil, mas aliciante, exercício de apreensão e de manipulação da língua, esse caminhar no fio de arame, «o salto mortal» para que a comunicação seja possível.

Na esteira do livro anterior, Leonel Melo Rosa oferece-nos um trabalho que assenta em certos pressupostos pedagógicos de aprendizagem de uma língua viva, como o do enfoque no aprendente, de modo que este, após a aquisição de um certo vocabulário e estruturas, possa produzir novos enunciados; a abordagem cíclica dos conteúdos, mas respeitando uma certa progressão gramatical, sem nunca perder de vista os objetivos comunicacionais que um aprendente deste nível deve atingir, os do domínio de situações de comunicação de quotidiano num país de língua portuguesa ou mesmo certos objetivos culturais, visíveis em filigrana na contextualização dos enunciados.

O autor termina o conjunto com algumas sugestões de materiais suscetíveis de serem utilizados na aprendizagem do Português Língua Estrangeira, adquirindo particular relevo a indicação de alguns endereços eletrónicos que podem colocar o aprendente em situação interativa ou lançá-lo simplesmente na busca de informação, leitura e compreensão de dados relativos à língua e cultura portuguesas. Desta forma, *Vamos lá Começar!* ensina também a aprender a navegar na casa da Lusofonia, para que o aprendente sinta que o caderno de exercícios é *apenas* um meio de o lançar no laboratório vivo do exercício da língua, mar aberto, navegação e voo em direção a um horizonte onde as pontes se prolongam, num jogo infinito de dádiva, de partilha, onde o eu e o outro se encontram, no espaço de uma língua comum, abolindo as fronteiras entre *Começar* e *Continuar.*

José Manuel Esteves

APRESENTAÇÃO

Vamos lá Começar! pretende acompanhar e consolidar a aprendizagem feita na sala de aula ou em autoaprendizagem com um manual, CD-ROM, cassete áudio ou vídeo ou com um curso na Internet. Tanto os exercícios de gramática como os de vocabulário têm a sequência das estruturas e conteúdos normalmente utilizada para a aprendizagem de Português Língua Estrangeira. O livro dirige-se a alunos estrangeiros dos níveis de iniciação e elementar. No entanto, pode ser utilizado por alunos que já tenham alguns conhecimentos da língua mas que precisam de os organizar e sistematizar.

Vamos lá Começar! tem dois volumes: o primeiro contém explicações e exercícios gramaticais e o segundo tem exercícios de vocabulário. Os dois volumes deverão ser utilizados em complemento um do outro. Procurei variar o tipo de exercícios para tornar o trabalho mais interessante e para variar o grau de dificuldade. Há exercícios de escolha múltipla, de completamento, de correspondência, de identificação, etc. Para tornar mais acessível a realização dos exercícios e o estudo das fichas de explicação gramatical, existe um código que caracteriza o grau de dificuldade. Este código destina-se, sobretudo, aos alunos que trabalham sem a ajuda de um professor e consiste numa escala de um (mais fácil) a cinco (mais difícil). Os exercícios e explicações gramaticais com são acessíveis a um aluno completamente principiante; os que têm são destinados a um aluno situado no início do nível intermédio. Para uma melhor compreensão deste código, aconselhamos a consulta da legenda que se encontra na página 7.

Cada aprendente tem o seu método de trabalho e este livro deixa a cada um a liberdade do método que mais lhe agradar. No entanto, proponho que antes de fazer os exercícios, o aluno leia com atenção as explicações gramaticais. Os exercícios só pedem a aplicação das estruturas abordadas nessas explicações. Quanto ao número de exercícios a fazer em cada estrutura, depende de cada aluno. Propõem-se vários exercícios a fim de dar a possibilidade de fazer várias aplicações em momentos diferenciados, de modo a poder avaliar a capacidade de aplicação de uma estrutura adquirida anteriormente. Ao longo do primeiro volume (Gramática), um exercício com o título VAMOS LÁ RECAPITULAR! dá ao aluno a possibilidade de fazer o ponto da situação relativamente ao trabalho desenvolvido. Quase todos os exercícios podem ser feitos sem a ajuda de um professor, encontrando-se corrigidos no fim do livro. Há alguns exercícios que precisam do apoio de um professor e, por essa razão, têm a indicação *SÓ PARA A AULA*.

Depois de trabalhar com este livro, o aluno deverá utilizar o livro ***Vamos lá continuar!*** (Ed. Lidel, 2011), destinado a aprendentes dos níveis Intermédio e Avançado.

O AUTOR

PRESENTATION

The main aim of ***Vamos lá Começar*** ("Let's get to work!"...or let's get working) is to support and consolidate work carried out in the classroom or in self-learning courses either with books, videocassettes or on-line. Both the Grammar and the Vocabulary exercises in this book have the same structure as those used in learning Portuguese as a Foreign Language. The book is aimed at students at beginner and elementary level. However, it can also be used by students having some knowledge of the language but who need to systematise that knowledge.

Vamos lá Começar is composed by two volumes: the first contains explanations and exercises on grammar; the second contains vocabulary exercises. The student should use both books in a complementary way. There are a number of different types of exercises including multiple choice, fill the blanks, matching, identification, etc. A code is used to classify the degree of difficulty of the exercise. The code consists of a scale from one to five (one being the easiest and five the most difficult), with the different levels being represented by little drawings next to the title of the exercise. The exercises and grammar explanations marked with are expected to be accessible to a student at the beginner level. Those marked with are for students at an intermediate level. For a better understanding of the code used, we suggest that you consider the information given in page 7.

Each student is free to approach the book in any way he/she finds suitable, but it is suggested that, in the first volume, the grammar explanations are read before the exercises are attempted. The student decides how many exercises to try for each topic. There is no obligation to solve all exercises in one go. Each topic has more than one exercise in order to give the student the opportunity to evaluate the knowledge gained from previous topics. In the first volume (Grammar), the student can find some exercises entitled VAMOS LÁ RECAPITULAR! ("Let's recapitulate!") in order to verify and consolidate work carried out in previous topics. Almost all the exercises can be attempted without the teacher's help and solutions are found at the back of both volumes. The exercises that require the teacher's support are subtitled *SÓ PARA A AULA* ("For the classroom only").

After having worked with this book, the student may proceed to the next level and use ***Vamos lá continuar!*** ("Let's continue or Let's carry on") (Ed. Lidel, 2011), aimed at Intermediate and/or Advanced Level students.

THE AUTHOR

PRÉSENTATION

Vamos lá Começar a comme principal but d'accompagner les apprentissages et de consolider les acquisitions effectuées dans le cours de Portugais ou réalisées en auto-apprentissage, que ce soit en utilisant des livres, des cédéroms, des cassettes audio ou vidéo ou même en suivant un cours par Internet. Les exercices de grammaire et les exercices de vocabulaire reprennent la structure des séquences et les contenus normalement utilisés pour l'apprentissage du Portugais Langue Etrangère. Ce livre s'adresse à des apprenants étrangers de niveau débutant et élémentaire. Cependant, il peut être utilisé par des apprenants qui, ayant des connaissances de la langue, ont besoin de les systématiser et de les organiser.

Vamos lá Começar se présente en deux volumes: le premier contient des explications et des exercices de grammaire et le deuxième contient des exercices de vocabulaire. Les deux volumes devront être utilisés en complément l'un de l'autre. Vous pourrez trouver des exercices variés, comme par exemple, des exercices à choix multiples, des exercices à trous, de correspondance, d'identification, etc. Afin de faciliter le choix des exercices à réaliser, on a utilisé un code caractérisant la difficulté de chaque exercice. Cette modalité s'adresse surtout à ceux qui travaillent sans l'aide d'un enseignant. Ce code consiste en une échelle allant de 1 à 5 (du plus facile au plus difficile.) Les exercices du niveau de difficulté 1 s'adressent à ceux qui commencent leur apprentissage (niveau élémentaire) et les exercices classés dans le niveau 5 sont destinés à ceux qui se trouvent au début du niveau intermédiaire. Ce code est représenté par des petites maisons. Pour mieux comprendre ce code, il sera convenable de consulter la légende qui se trouve à la page 7.

Chaque apprenant a sa méthode de travail et ***Vamos lá Começar!*** permet à chacun de suivre son rythme propre et sa méthode personnelle. Cependant, avant de faire les exercices de grammaire, l'apprenant doit lire les explications correspondantes. Les exercices ne demandent qu'une application des structures présentées dans ces explications. Quant au nombre d'exercices à faire pour chaque structure, cela dépend évidemment de chaque apprenant. Plusieurs exercices sont offerts pour chaque structure, afin de pouvoir réaliser plusieurs applications à des moments différents. Ainsi chaque apprenant pourra évaluer sa capacité à appliquer les structures acquises antérieurement. Tout au long du premier volume (Grammaire), des exercices portant le titre VAMOS LÁ RECAPITULAR! permettent à l'apprenant de faire le point sur son travail. Etant donné que la plupart des exercices peuvent être réalisés sans l'aide d'un enseignant, l'apprenant pourra trouver le corrigé à la fin du livre. Les exercices qui demandent l'aide d'un enseignant portent le sous-titre *SÓ PARA A AULA*.

Après avoir travaillé avec ce livre, l'apprenant pourra poursuivre son apprentissage en travaillant avec le livre ***Vamos lá continuar!*** (Ed. Lidel, 2011), qui s'adresse à des apprenants des niveaux intermédiaire et avancé.

L'AUTEUR

PRESENTACIÓN

"Vamos lá começar" pretende implementar y consolidar el aprendizaje en el aula o en el regimen de autoaprendizaje, integrando el manual, el CD-ROM, cintas de audio y video o un curso en Internet. Las actividades de gramática y de vocabulario tienen la secuencia de las estructuras y contenidos normalmente utilizados para el aprendizaje del Portugués, como Lengua Extranjera.

El libro se dirige a alumnos estranjeros de los niveles de iniciación y elemental. Sin embargo, puede ser utilizado también por los alumnos que a pesar de dominar algún tipo de conocimiento del idioma, necesitan organizarlo y sistematizarlo.

El libro tiene dós volumenes: el primero contiene explicaciones y ejercícios gramaticales y el segundo contiene ejercícios de vocabulário. Los dós volumenes han de ser utilizados de un modo complementário.

En este libro, intento diversificar el tipo de ejercicios para proporcionar un aprendizaje más atractivo y para diversificar el grado de dificultad. Por eso, nos encontramos con ejerciciós de elección múltiple, de completamiento, de correspondencia, de identificación, etc.

Para una mayor accesibilidad en la realización de los ejercicios y en el estudio de fichas de explicación gramatical, se ha considerado interesante asociarles un dibujo que caracterizara el grado de dificultad. Este dibujo está destinado sobretodo a los alumnos que trabajan sin la ayuda de un profesor. Se ha creado una escala que va de uno (el nivel más elemental) a cinco (el nivel más complejo) que corresponde al proceso de aprendizaje del nivel elemental y de las primeras etapas del nivel intermedio. Los ejercicios y explicaciones gramaticales con serán accesibles a los alumnos principiantes; los ejercicios con están dirijidos a los aprendientes que se situan en la primera fase del nivel intermedio. Para entender mejor este código, proponemos que consulte la legenda en la página 7.

Cada uno de los aprendientes tiene su método de trabajo y, por eso, este libro ofrece a cada uno de los alumnos la libertad de elejir el metodo más apropiado. Sin embargo, yo propongo que antes de realizar los ejercicios, cada uno de los alumnos ha de leer atentamente las explicaciones gramaticales. Los ejercicios piden tan solo la aplicación de las estructuras planteadas en esas explicaciones gramaticales. El número de ejercicios de cada una de las estructuras está dependiente de las opciones de cada alumno. Se proponen ejercicios diversificados para cada una de las estruturas con la finalidad de ofrecer la posibilidad de hacer variadas aplicaciones en momentos diferenciados, para evaluar la capacidad de aplicación de una estructura adquirida previamente. A lo largo del primer volumen (Gramática), los ejercicios con el título "VAMOS LÁ RECAPITULAR!" ofrece los alumnos la oportunidad de hacer la evaluación de la situación del trabajo desarrollado.

Casi todos los ejercicios de este libro pueden realizarse sin la ayuda de un profesor y, por este motivo, están correjidos al final del libro. En algunos de los ejercicios existe la necesidad del apoyo del profesor y, por este motivo, están identificados con la expresión "*SÓ PARA A AULA*".

Después de trabajar con este libro, el alumno ha de utilizar el otro libro "**Vamos lá continuar!**" (Ed. Lidel, 2011) que está destinado a los aprendientes de los niveles Intermedio y Avanzado.

EL AUTOR

VORWORT

Vamos lá Começar versucht, erste Lernerfahrungen mit Portugiesisch, die im Unterricht oder in Selbstlernsituationen mit Kursbüchern, Audio- und Videokassetten, CD-ROM, oder Internet erworben wurden, zu begleiten und zu vertiefen. Sowohl die Grammatik- als auch die Wortschatzübungen folgen dabei einer normalerweise in Lehrwerken für Portugiesisch als Fremdsprache zum Eisatz kommenden Progression.

Das Buch richtet sich an Anfänger bzw. Sprachlernende mit Grundkenntnissen des Portugiesischen als Fremdsprache. Aber auch Lerner, die bereits Vorkenntnisse mitbringen und diese vertiefen wollen, können von den systematischen Übungen profitieren.

Das Lehrwerk besteht aus zwei Bänden: Im ersten finden sich Hinweise zur Grammatik sowie zahlreiche Übungen. Im zweiten Band steht ganz die Wortschatzarbeit im Mittelpunkt. Beide Teile ergänzen sich wechselseitig!

Ein Hauptanliegen war mir diesmal, eine größere Vielfalt an Übungen anzubieten. Damit wird *Vamos lá Começar* interessanter und vielseitiger einsetzbar. Es finden sich daher nebeneinander Übungstypen wie: "Multiple Choice", Lückentext, sowie Zuordnungs- und Benennungsaufgaben.

Um die einzelnen Übungen leichter aufzufinden und, um allgemein einen besseren Überblick über das gesamte Material zu bekommen, habe ich sämtliche Übungen nach Schwierigkeitsgrad geordnet. Dies ist vor allem für Selbstlerner hilfreich. Zum Einsatz kam hierzu eine Skala - relativ zu den Anforderungen der "Grundstufe" - von 1(sehr einfach) bis 5 (sehr schwierig).

Die Übungen und Erklärungen zur Grammatik mit sind ohne weiteres auch für reine Anfänger geeignet. Die mit gekennzeichneten richten sich dagegen an Lerner mit Vorkenntnissen. Eine genauere Erklärung dieser Symbolik findet sich auf Seite 7.

Natürlich steht es jedem frei, eigene Lernwege zu gehen. Vor jeder Grammatikübung sollten jedoch die vorangestellten Hinweise genauestens studiert werden, da die Übungen sich explizit darauf beziehen. Wie viel Übungen zu einem Thema sinnvoll sind, entscheidet einzig und alleine der Lerner, also Sie! Um zu testen, ob Sie eine Struktur in verschiedenen Situationen wirklich anwenden können, empfiehlt es sich jedoch, zum jeweiligen Thema eine Reihe unterschiedlicher Übungen zu absolvieren.

Im ersten Band (Grammatik) besteht darüber hinaus die Möglichkeit, stoffbegleitend die mit VAMOS LÁ RECAPITULAR! betitelten Übungen zu bearbeiten. Damit lässt sich der der eigene Lernfortschritt kontinuierlich überwachen.

Die meisten Übungen sind so angelegt, dass sie ohne Lehrer bearbeitet werden können. Aus diesem Grund findet sich am Ende des Buches ein Lösungsschlüssel.

Bei einigen Übungen ist jedoch die Unterstützung durch einen Lehrer nötig. Diese sind mit dem Hinweis: *SÓ PARA A AULA* [Nur für den Unterricht!] gekennzeichnet.

Wenn Sie *Vamos lá Começar* erfolgreich abgeschlossen haben, können Sie mit meinem Lehrwerk für Fortgeschrittene „***Vamos lá continuar!***" (Ed. Lidel, 2011) Ihre Portugiesischkenntnisse weiter ausbauen.

Der Autor

PRESENTAZIONE

Vamos lá Começar si propone di affiancare e consolidare l'attività di apprendimento svolta in classe oppure in forma autodidattica tramite manuale, CD-ROM, audiocassetta, videocassetta o corso online. Sia gli esercizi grammaticali che quelli incentrati sul lessico si basano sulle sequenze di strutture e contenuti comunemente utilizzate per l'apprendimento del portoghese come lingua straniera.

Il libro è rivolto agli studenti stranieri dei livelli principianti e elementare. Tuttavia può essere utile anche a coloro i quali, pur in possesso di alcuni rudimenti della lingua, abbiano necessità di organizzarli in maniera sistematica.

Vamos lá Começar si compone di due volumi: il primo contiene spiegazioni ed esercizi di grammatica, il secondo esercizi di vocabolario. I due volumi sono concepiti per essere utilizzati in maniera complementare. Ho cercato di introdurre delle varianti negli esercizi, così da rendere più stimolante il lavoro e da variare il grado di difficoltà. Si troveranno dunque esercizi a scelta multipla, di completamento, di corrispondenza, di identificazione, eccetera. Per rendere più accessibile la realizzazione degli esercizi e lo studio delle schede esplicative, si è ritenuto utile inserire un codice che ne illustrasse il grado di difficoltà. Tale codice si rivolge principlamente agli studenti che lavorano senza l'aiuto di un insegnante. E' stata quindi introdotta una scala da uno (più facile) a cinque (più difficile). Gli esercizi e le spiegazioni grammaticali contrassegnate con sono accessibili a un alunno principiante assoluto; quelli contraddistinti da sono destinati invece a chi sia giunto agli inizi del livello intermedio. Per una migliore comprensione di questo codice, si rimanda alla legenda a pagina 7.

Ciascun discente possiede un suo metodo di studio, e questo libro lascia ad ognuno la libertà metodologica che gli è propria. Tuttavia suggerisco che, prima di cimentarsi con gli esercizi, l'allievo legga attentamente le spiegazioni grammaticali: gli esercizi non fanno infatti che richiederne l'applicazione. In quanto al numero di esercizi da svolgere per ogni struttura affrontata, questo dipende dal singolo alunno. Vengono proposti svariati esercizi, così da consentire varie applicazioni in momenti diversi, e da permettere di valutare la capacità di applicazione di una struttura precedentemente acquisita. Nel primo volume (Gramática), un esercizio dal titolo VAMOS LÁ RECAPITULAR! permette all'allievo di fare il punto della situazione sul lavoro svolto. La quasi totalità degli esercizi può essere affrontata senza l'aiuto di un insegnante, la loro correzione essendo stata inclusa in appendice. Alcuni esercizi necessitano invece dell'intervento di un insegnante, e perciò sono stati segnalati con la dicitura *SÓ PARA A AULA*.

Dopo aver lavorato su questo libro, l'allievo potrà passare a ***Vamos lá continuar!*** (Ed. Lidel, 2011), destinato a studenti di livello intermedio e avanzato.

L'AUTORE

К читателям

Книга ***Vamos lá Começar!*** будет сопровождать вас в процессе изучения португальского языка. Занимаетесь ли вы с преподавателем или самостоятельно по учебнику, пользуетесь ли вы компьютерной программой или аудиокассетой – в любом случае эта книга поможет вам закрепить и расширить приобретенные вами знания.

Назначение собранных в книге упражнений – разъяснение и иллюстрация правил грамматики, а также расширение вашего словарного запаса. Содержание и порядок расположения упражнений соответствуют традиционной схеме курса португальского языка для иностранцев.

Книга предназначена для студентов-иностранцев, никогда не изучавших португальский язык или уже владеющих базовыми знаниями. Впрочем, она может оказаться полезной и тем, кто уже неплохо овладел языком – этим читателям книга поможет систематизировать их знания.

Книга издана в двух томах: в первом из них собраны упражнения на грамматику, во втором – упражнения на расширение словарного запаса. Оба тома изучаются параллельно.

Я постарался подобрать упражнения различающиеся по форме, содержанию и уровню сложности. В различных ситуациях вам будет предложено выбрать из нескольких вариантов ответа - правильный, установить логическую связь между фразами, дополнить незавершенную фразу, назвать предметы, изображенные на картинке и т.д.

Для того чтобы помочь в первую очередь тем, кто изучает язык без преподавателя в выполнении упражнений и изучении вспомогательного грамматического материала, разработана система значков. Сложность оценивается по шкале от одного до пяти: помеченные одной фигуркой упражнения предназначены для начинающих, помеченные пятью фигурками - для тех, кто только что перешел с начальной на среднюю ступень

У вас, как и у каждого изучающего язык – свой подход, и эта книга никак вас не ограничивает. Все же я рекомендовал бы тщательно изучить вспомогательный грамматический материал, *прежде* чем приступать к упражнениям из очередного раздела. Этот материал содержит все необходимые для выполнения упражнений грамматические конструкции. Количество упражнений, выполняемых для закрепления той или иной конструкции, оставлено на усмотрение читателя. Большое число упражнений, помещенных в каждом из разделов, позволит читателю возвращаться к уже освоенной теме, чтобы, выполнив дополнительное упражнение, закрепить изученное, либо оценить степень овладения темой.

Помещенные в первом томе (Грамматика) упражнения с подзаголовком VAMOS LÁ RECAPITULAR! (*Повторим вкратце!*) позволят изучающему подвести промежуточный итог и оценить свою работу. Практически все упражнения могут выполняться без участия преподавателя; помещенные в конце книги ответы помогут вам проверить правильность выполнения. Упражнения, для выполнения которых помощь преподавателя желательна, выделены примечанием (*SÓ PARA A AULA – ДЛЯ РАБОТЫ В КЛАССЕ*).

По завершении работы с этой книгой рекомендуем читателю продолжить изучение по книге ***Vamos lá continuar!*** (Ed. Lidel, 2011), предназначенной для изучающих язык на среднем или углубленном уровне.

Автор

ΕΙΣΑΓΩΓΗ

Το βιβλίο ***Vamos lá Começar!*** ("Ας ξεκινήσουμε!") συνοδεύει την εκμάθηση της πορτογαλικής γλώσσας και βοηθά να εμπεδωθούν οι γνώσεις που αποκτώνται στην τάξη ή στην αυτοδιδασκαλία (με βιβλία, CD-ROM, κασέτες ήχου και βίντεο ή Διαδικτυακά μαθήματα). Οι ασκήσεις γραμματικής και λεξιλογίου ακολουθούν τη σειρά και το περιεχόμενο των ενοτήτων που χρησιμοποιούνται συνήθως στη διδασκαλία της πορτογαλικής ως ξένης γλώσσας.

Το βιβλίο αυτό απευθύνεται σε αρχάριους μαθητές. Μπορεί όμως να χρησιμοποιηθεί κι από μαθητές που έχουν κάποιες γνώσεις πορτογαλικών και θα ήθελαν να τις οργανώσουν και να τις συστηματοποιήσουν.

Το ***Vamos lá Começar!*** αποτελείται από δύο τόμους : ο πρώτος περιέχει γραμματικές επεξηγήσεις και ασκήσεις και ο δεύτερος ασκήσεις λεξιλογίου. Οι δύο τόμοι πρέπει να χρησιμοποιούνται σαν συμπλήρωμα ο ένας του άλλου. Συμπεριέλαβα σκοπίμως πολλά είδη ασκήσεων διαφορετικού βαθμού δυσκολίας ώστε το μάθημα να είναι πάντοτε ενδιαφέρον. Θα βρείτε ασκήσεις πολλαπλών επιλογών, συμπλήρωσης κενών, αντιστοιχίας, ταύτισης, κ.ά. Για να διευκολυνθεί ο σπουδαστής στη λύση των ασκήσεων και στη μελέτη των γραμματικών επεξηγήσεων, υπάρχουν χαρακτηριστικά σύμβολα του βαθμού δυσκολίας. Πρόκειται για μια κλίμακα από το ένα (πολύ εύκολο) μέχρι το πέντε (πολύ δύσκολο), η οποία είναι ιδιαίτερα χρήσιμη στην εκμάθηση άνευ διδασκάλου. Οι ασκήσεις και οι γραμματικές επεξηγήσεις με είναι βατές για έναν τελείως αρχάριο μαθητή. Όσες με απευθύνονται στον μαθητή που βρίσκεται στην αρχή του μέσου επιπέδου. Για να κατανοήσετε τα σύμβολα που χρησιμοποιούμε, συμβουλευτείτε τη σελίδα 7.

Κάθε σπουδαστής έχει τη δική του μέθοδο μελέτης και αυτό το βιβλίο δίνει στον καθένα την ελευθερία να επιλέξει τη μέθοδο που του ταιριάζει. Προτείνω, παρόλα αυτά, πριν κάνετε τις ασκήσεις, να διαβάζετε με προσοχή τις γραμματικές επεξηγήσεις. Οι ασκήσεις δεν είναι παρά η εφαρμογή των κανόνων που παρουσιάζονται σε κάθε γραμματική επεξήγηση. Όσο για τον αριθμό των ασκήσεων που πρέπει να γίνονται σε κάθε ενότητα, αυτό εξαρτάται από τον εκάστοτε μαθητή. Προτείνονται πολλές ασκήσεις σε κάθε ενότητα, ώστε ο μαθητής να μπορεί να εξασκείται σε διαφορετικές χρονικές στιγμές και να αξιολογεί τις γνώσεις που έχει αποκτήσει από προηγούμενες ενότητες. Στον πρώτο τόμο (Γραμματική), οι ασκήσεις με τον τίτλο VAMOS LA RECAPITULAR! ("Ας ανακεφαλαιώσουμε!") δίνουν στο μαθητή τη δυνατότητα να ελέγχει την πρόοδο της δουλειάς του. Όλες σχεδόν οι ασκήσεις μπορούν να γίνουν χωρίς δάσκαλο, αφού υπάρχουν οι σωστές απαντήσεις στο τέλος του βιβλίου. Ορισμένες ασκήσεις όμως, χρειάζονται τη βοήθεια δασκάλου και γι΄ αυτόν το λόγο φέρουν την ένδειξη *SO PARA A AULA* ("Για την τάξη μόνο").

Ο σπουδαστής αφού εξαντλήσει το βιβλίο αυτό, θα πρέπει να συνεχίσει με το ***Vamos lá continuar!*** / "Ας συνεχίσουμε!" (Εκδόσεις Lidel, 2011), το οποίο απευθύνεται σε μαθητές μέσου και προχωρημένου επιπέδου.

Ο Συγγραφέας

As traduções da "Apresentação" (páginas 12-15) foram feitas por: Walter Landgraf (alemão); Luísa Aires (espanhol); Jean-Pierre Carrier e Leonel M. Rosa (francês); Fani Adam (grego); Brian Goodfellow e Ana Gil (inglês); Paola Vallerga (italiano); Andrei Sarychev (russo).

ALGUMAS PALAVRAS USADAS NESTE LIVRO E NO LIVRO *VAMOS LÁ CONTINUAR!*

Designação	Sentido	Exemplo
adjetivo	Descreve ou caracteriza uma pessoa ou um objeto.	*português, casada, alta, inteligente*
advérbio	Modifica a palavra ou palavras a que está ligado.	*cedo, tarde, rapidamente*
artigo	Palavra que antecede o nome. Pode ser definido ou indefinido. Varia em género e número.	*o* professor, *a* professora, *as* professoras
determinante	Palavra que antecede o nome. Determinante demonstrativo, possessivo, etc.	*este* carro, *o meu* pai
diálogo	Uma conversa entre duas pessoas, interação verbal.	*Jorge: Como te chamas?* *Ana: Chamo-me Ana.*
expressão	Um grupo de palavras com sentido.	*em casa, o professor de português*
feminino	Género de determinantes, pronomes, nomes e adjetivos oposto ao masculino.	*a, professora, casa, amarela, alta*
frase	Conjunto de palavras formando uma ideia completa.	*O Pedro é professor.*
futuro	O tempo futuro exprime uma posição de posterioridade em relação ao momento do ato de fala.	Amanhã *estará* bom tempo.
masculino	Género de determinantes, pronomes, nomes e adjetivos oposto ao feminino.	*o, professor, livro, branco, baixo*
modo conjuntivo	Exprime uma ação ou um facto considerado como incerto, duvidoso, eventual ou irreal.	Eu espero que ela *venha* cedo.
modo imperativo	Exprime a vontade de o enunciador fazer cumprir a ação indicada pelo verbo. O imperativo é o modo do pedido, da exortação, do conselho, do convite e da ordem.	*Vem* cá depressa.
modo indicativo	Exprime uma ação ou um facto (do mundo real ou de mundos possíveis) referenciados no presente, no pretérito ou no futuro.	Hoje *almoço* em casa da Joana.
nome	O mesmo que substantivo. Palavra que representa um ser, um objeto, uma ideia.	*João, livro, gato, casa, liberdade*
parágrafo	Uma pequena parte de um texto que começa com uma mudança de linha.	*Eu chamo-me Pedro. Sou português e tenho 20 anos. Sou estudante de Filosofia na Universidade de Lisboa.*
plural	Número dos determinantes, nomes, adjetivos, pronomes e formas verbais.	*meninos, casas, portugueses, falam*
pergunta	Um conjunto de palavras com sentido que começa com letra maiúscula e acaba com um ponto de interrogação.	*Como te chamas?*
preposição	Uma palavra que serve de ligação entre duas palavras.	*de, a, para, por, etc.*
presente	O tempo presente exprime uma posição de coincidência entre o momento de realização do processo e o momento do ato de enunciação.	Eu *estou* em casa.
pretérito	O tempo pretérito exprime uma posição de anterioridade em relação ao momento do ato de fala.	Ontem, *fui* ao cinema.
pronome	Palavra que substitui o nome.	*eu, este, o teu, alguém, etc.*
pronome pessoal	Palavra que substitui o nome e que se refere a uma pessoa gramatical.	*eu, me, tu, te, ele, lhe, nós, nos, etc.*
pronome interrogativo	Palavra que se refere a um nome e que é o elemento principal de uma frase interrogativa.	*Quem* é ele?
resposta	Reação a uma pergunta por parte do interlocutor.	*Chamo-me Luísa.*
singular	Número dos determinantes, nomes, adjetivos, pronomes e verbos referente a um elemento.	*menino, casa, português, fala*
substantivo	Palavra que representa um ser, um objeto, uma ideia, etc. Neste livro, preferimos a designação "nome".	*João, livro, gato, casa, liberdade*
tempo verbal	É uma categoria gramatical que indica o momento em que se considera ter lugar o facto expresso pelo verbo. São três os tempos: presente, pretérito, futuro.	Eu *estudo* português.
verbo	Palavra que representa a ação.	*Falar, comer, escrever, partir, etc.*

ALFABETO							
Minúsculas	Maiúsculas	Pronúncia	Transcrição Fonética	Minúsculas	Maiúsculas	Pronúncia	Transcrição Fonética
a	A	á	[a] [ɐ]	n	N	éne	[n]
b	B	bê	[b]	o	O	ó	[ɔ] [o] [u]
c	C	cê	[k] [s]	p	P	pê	[p]
d	D	dê	[d]	q	Q	quê	[k]
e	E	é	[ɛ] [e] [ə]	r	R	érre	[ʀ] [r]
f	F	éfe	[f]	s	S	ésse	[s]
g	G	gê ou guê	[g] [ʒ]	t	T	tê	[t]
h	H	agá		u	U	ú	[u]
i	I	i	[i]	v	V	vê	[v]
j	J	jóta	[ʒ]	w	W	duplo v ou dâblio	[v] [w]
k	K	cápa	[k]	x	X	xis	[ʃ] [ks] [z] [s]
l	L	éle	[l]	y	Y	i grego ou ípsilon	[j]
m	M	éme	[m]	z	Z	zê	[z] [ʃ]

Para conhecer melhor as representações fonéticas destas letras, deve pedir ajuda a um professor ou consultar o Laboratório Fonético do CD-ROM "Português Elementar". Também pode consultar o Alfabeto Fonético Internacional.

Nota: No Português há palavras de origem estrangeira que se escrevem com ***k, w*** e y. Com a aplicação do novo Acordo Ortográfico estas letras passaram a fazer parte do alfabeto português; no entanto, é comum encontrarmos algumas palavras que sofreram adaptações, como, por exemplo:
Exemplos: k – quilograma (*kilograme*), quiosque (*kiosk*).
w – uísque (*whisky*), sanduíche (*sandwich*), Valter (*Walter*).
y – Nova Iorque (*New York*), iate (*yacht*), jarda (*yard*).

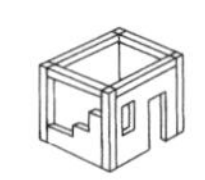

Diga em voz alta as seguintes siglas.

SÓ PARA A AULA

PSP — Polícia de Segurança Pública
BTT — Bicicleta Todo-o-Terreno
GNR — Guarda Nacional Republicana
PME — Pequenas e Médias Empresas
OMS — Organização Mundial de Saúde
CP — Caminhos de Ferro Portugueses
PS — Partido Socialista
PSD — Partido Social Democrata
PCP — Partido Comunista Português
PP — Partido Popular
BE — Bloco de Esquerda
AR — Assembleia da República
PR — Presidente da República
DN — Diário de Notícias (Lisboa)
JN — Jornal de Notícias (Porto)

TMN — Telecomunicações Móveis Nacionais
PT — Portugal Telecom
CTT — Correios e Telecomunicações de Portugal
ONU – Organização das Nações Unidas
UE – União Europeia
RTP – Radiotelevisão Portuguesa
TVI — Televisão Independente
CCB — Centro Cultural de Belém
RDP — Radiodifusão Portuguesa
RR — Rádio Renascença
CGTP — Confederação Geral dos Trabalhadores Portugueses
UGT — União Geral de Trabalhadores
AR — Assembleia da República
OCDE — Organização para a Cooperação e Desemvolvimento Económico

ARTIGO DEFINIDO

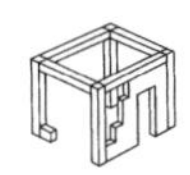

Singular		Plural	
Masculino	**Feminino**	**Masculino**	**Feminino**
o	**a**	**os**	**as**

EMPREGO DO ARTIGO DEFINIDO

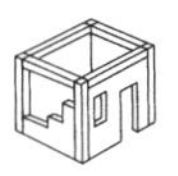

1 — O Artigo Definido é colocado antes do nome (substantivo) e serve para designar objetos ou seres perfeitamente identificáveis.

Ex.: *O* carro dele é bonito. / *A* mãe do João é inglesa.

2 — Emprega-se com o valor de possessivo.

Ex.: O meu filho lava sempre *os* dentes antes de ir para a cama.

3 — Emprega-se antes do determinante possessivo.

Ex.: *O* meu carro está perto do café.

4 — Antes dos dias da semana e das horas do dia.

Ex.: *À* segunda, não temos aula de Inglês.
Na próxima segunda-feira, vou ao cinema.
Temos aula *às* dez horas.

5 — Com nomes de datas festivas.

Ex.: *O* Natal é uma época muito bonita.

6 — Com os nomes de países, regiões, continentes, rios, mares, etc.

Ex.: *o* Brasil, *os* Açores, *a* Europa, *o* Tejo, *o* Atlântico.
Exceções: Portugal, Angola, Moçambique, Guiné-Bissau, Cabo Verde, Marrocos, Israel.

7 — Com algumas cidades cujos nomes são nomes comuns.

Ex.: *o* Porto, *a* Guarda, *a* Figueira da Foz, *o* Rio de Janeiro.

8 — Com nomes próprios de pessoas.

Ex.: *o* Jorge, *a* Ana.
Exceção: Não se usa com nomes de figuras públicas.
Ex.: Luís de Camões, Fernando Pessoa.

ARTIGO DEFINIDO I
(Nacionalidades e Profissões)

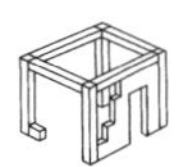

Escolha a forma correta do artigo.

Exemplo:

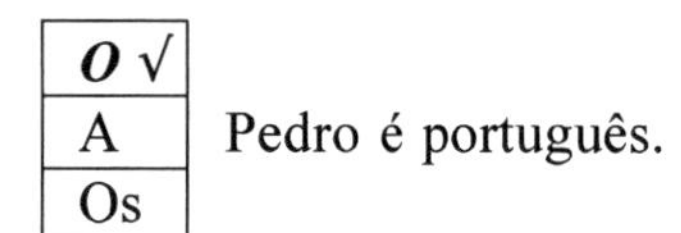

O √	
A	Pedro é português.
Os	

1—

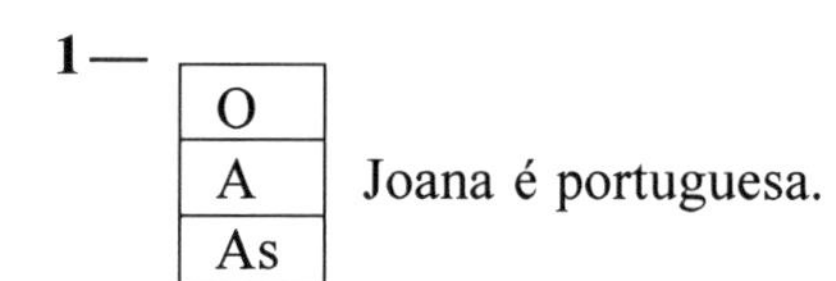

O	
A	Joana é portuguesa.
As	

2—

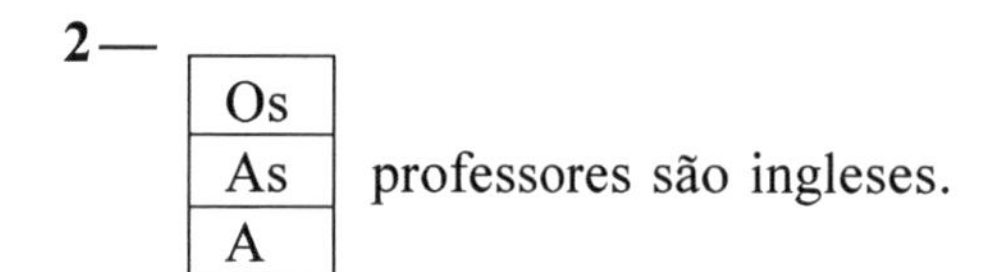

Os	
As	professores são ingleses.
A	

3—

O	
A	Margarida é médica.
As	

4—

O	
A	Porto é uma cidade portuguesa.
As	

5—

O	
A	John é inglês.
As	

6—

Os	
A	primas da Leonor são de Faro.
As	

7—

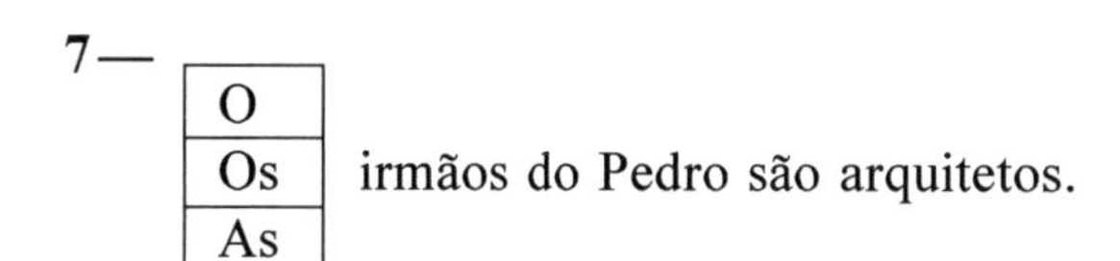

O	
Os	irmãos do Pedro são arquitetos.
As	

8—

O	
Os	pais da Manuela são agricultores.
As	

9—

O
A
Os

filho do senhor Pedrosa é piloto da TAP.

10—

O
A
As

mãe da Susana é assistente social.

ARTIGO DEFINIDO II (Família)

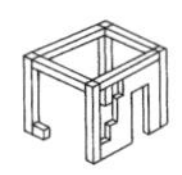

Complete com o artigo definido adequado.

Ex.: ________ família do professor é grande.
A família do professor é grande.

1—____ pai do Pedro é professor.
2—____ prima da mãe chama-se Adelaide.
3—____ irmã da Joana chama-se Francisca.
4—____ madrinha do Paulo é espanhola.
5—____ sobrinho do Sr. Pedrosa chama-se Mário.
6—____ tia do Pedro é francesa.
7—____ primos do António são angolanos.
8—____ avó da Manuela é médica.
9—____ tios do Nuno são brasileiros.
10—____ avô do Hugo é dono de uma empresa de informática.

Contração das Preposições *de, em, a, por* com o Artigo Definido

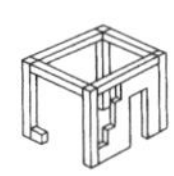

de+o	**do**
em+o	**no**
a+o	**ao**
por+o	**pelo**

de+a	**da**
em+a	**na**
a+a	**à**
por+a	**pela**

de+os	**dos**
em+os	**nos**
a+os	**aos**
por+os	**pelos**

de+as	**das**
em+as	**nas**
a+as	**às**
por+as	**pelas**

Exemplos:

1—O carro *do* João está *na* garagem *da* casa *dos* pais.
2—*Ao* domingo nós vamos sempre *ao* cinema e *à* biblioteca.
3—Gosto muito de passar *pela* livraria antes de ir para casa.

ARTIGO DEFINIDO III

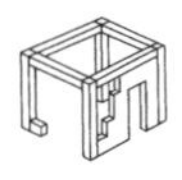

Complete com o artigo definido adequado. Faça as transformações necessárias.

Ex.: _____ Jorge é _____amigo de _____Pedro.
_O_ Jorge é _o_ amigo _do_ Pedro.

1— _____ Joaquim é irmão de _____ Susana.
2— _____ amigo de _____ Luís é _____ diretor de _____ empresa Jota Silva.
3— _____ professor de Física de _____ meu irmão é de Faro.
4— _____ prima de _____ Joana é espanhola.
5— _____ Fernanda é irmã de _____ João.
6— _____ Pedro é amigo de _____ filho de _____ professor de Português.
7— _____ professora de Inglês é casada com _____ primo de _____ Margarida.
8— _____ tios de _____ Miguel são de Braga.
9— _____ namorada de _____ Mário chama-se Luísa.
10— _____ diretora de _____ hospital é amiga de _____ tia Susana.

ARTIGO DEFINIDO IV

Complete o texto com os artigos definidos adequados. Faça as transformações necessárias.

(1) _*O*_ Paulo é (2) _____ meu colega preferido. (3) _____ Paulo e eu jogamos futebol em (4) _____ escola a (5) _____ segundas e quartas e basquetebol a (6) _____ terças e quintas em (7) _____ ginásio de (8)_____ Rua Luís de Camões.

Eu e ele costumamos ir a (9) _____ café *Stop*. (10) _____ pai de (11) _____ Paulo é amigo de (12) _____ proprietário. Em (13)_____ café, costuma estar muita gente a estudar, principalmente em (14) _____ mesas de (15) _____ primeiro andar.

O Artigo Definido e alguns casos de omissão

O artigo definido omite-se:

1—Com nomes de meses.

Ex.: Vamos embora *em julho.*
Maio é um mês muito bonito.

2—Com as horas do dia.

Ex.: São *cinco horas*.

3— Com os nomes próprios:

a) de pessoas, quando se aplicam a figuras públicas.

Ex.: *Camões* é um dos nossos maiores poetas.

b) de alguns países e regiões.

Ex.: *Portugal, Angola, Moçambique, Cabo Verde, São Tomé e Príncipe, Macau, Timor, Marrocos, Israel, Andorra, São Salvador, Castela.*

c) de alguns países *(Espanha, França, Inglaterra* e *Itália)* **quando regidos de preposição.**

Ex: Viveu muito tempo *em França.* / Amanhã vou *para Inglaterra.*

d) de cidades, localidades e da maioria das ilhas.

Ex.: *Londres, Madrid, Paris, Roma, Lisboa, Aveiro, Coimbra, Braga, Cuba,* etc.
Exceções: Os nomes que se formam a partir de nomes comuns: ***o Porto, a Guarda, a Figueira da Foz, o Rio de Janeiro, a Madeira, os Açores, a Córsega, a Sicília, a Sardenha.***

4— Antes de palavras que designam **matérias de estudo**, utilizadas com os verbos ***aprender, estudar, ensinar, andar em (= frequentar)***.

Ex.: Eu gosto de aprender *Inglês.* / Ele estuda *Latim.* / A Ana anda em *Medicina.*

5— Com a palavra *casa* quando esta tem o significado de *lar*.

Ex.: Vou almoçar *a* casa. / Ele está *em* casa.

ARTIGO DEFINIDO V
(Omissão)

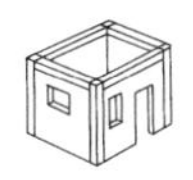

Complete as frases seguintes com ou sem o artigo definido, de acordo com as regras acima indicadas. Faça as transformações necessárias.

Ex. 1: As aulas começam em _____ setembro.
As aulas começam em __–__ setembro.

Ex. 2: _____ França é um país muito bonito.
__A__ França é um país muito bonito.

1— Neste momento, em ____ Brasil, são ____ oito horas.
2— ____ Porto é uma cidade de ____ norte de ____ Portugal.
3— ____ Lisboa é ____ capital de ____ Portugal.
4— Vou para ____ Inglaterra amanhã.
5— ____ Rio de Janeiro é uma de _____ cidades mais bonitas do mundo.
6— O Nuno anda a estudar ____ Português em _____ Universidade de ____ Aveiro.
7— ____ Londres tem seis milhões de ______ habitantes.
8— ____ meu irmão vai casar-se em ____ junho.
9— ____ Barack Obama chega hoje a ______ nosso país.
10— ____ meu primo Jorge vive em ____ França.

ARTIGO INDEFINIDO

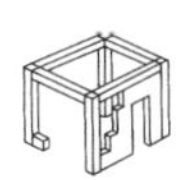

Singular		Plural	
Masculino	**Feminino**	**Masculino**	**Feminino**
um	**uma**	**uns**	**umas**

Contração das Preposições *de* e *em* com o Artigo Indefinido

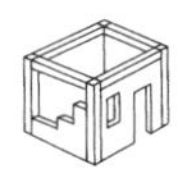

de + um	**dum**
em + um	**num**

de + uma	**duma**
em + uma	**numa**

de + uns	**duns**
em + uns	**nuns**

de + umas	**dumas**
em + umas	**numas**

EMPREGO DO ARTIGO INDEFINIDO

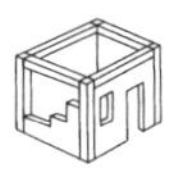

1 — O artigo indefinido designa objetos ou seres não individualizados ou identificados.

Ex.: *Um* amigo do Manuel perdeu a bicicleta.

2 — O artigo indefinido utiliza-se como genérico, no singular, quando determina um nome que representa uma espécie.

Ex.: *Um* carro é um meio de transporte.

3 — No plural, só se emprega quando se refere a um objeto ou ser específico, determinado.

Ex.: O Pedro tem *umas* irmãs muito bonitas. / Eu vou comprar *uns* óculos especiais.

4 — No plural, serve também para indicar uma quantidade aproximada.

Ex.: Ele tem *uns* quarenta anos. (= aproximadamente; cerca de)

ARTIGO INDEFINIDO I

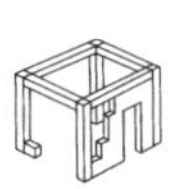

Complete as frases seguintes com a forma adequada do Artigo Indefinido.

Ex.: Isto é ____ carro.

Isto é um carro.

1 — Isto é ____ livro.

2 — Isto é ____ caneta.

3—Isto é ____ caderno.
4—Isto é ____ mesa.
5—Isto é ____ porta.
6—Isto é ____ casa.
7—Isto é ____ computador.
8—Isto é ____ pasta.
9—Isto é ____ cadeira.
10—Isto é ____ janela.

ARTIGO INDEFINIDO II

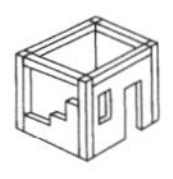

Complete as frases seguintes com a forma adequada do artigo indefinido.

Ex.: A Joana tem ______ pasta preta.
A Joana tem uma pasta preta.

1—O meu pai tem ______ amigos ingleses.
2—A Luísa tem ______ irmãs muito simpáticas.
3—______ vivenda é uma casa independente, geralmente muito grande.
4—Tu tens ______ casa muito bonita.
5—O senhor tem ______ carro fabuloso!
6—Ela tem ______ óculos muito originais!
7—O Paulo tem ______ gravatas muito coloridas!
8—A avó do Luís deve ter ______ 80 anos.
9—Tu tens ______ telemóvel espetacular!
10—Vocês têm ______ DVD fantásticos!

Omissão do Artigo Indefinido

Cada vez se usa mais o artigo indefinido. No entanto, ainda há circunstâncias em que ele é omitido.

1—A existência de outro elemento determinativo antes do nome, como, por exemplo, uma forma de identidade ou de comparação.

Ex.: De si, não esperava *semelhante gesto!* / *Pior tempo* do que este não era possível!

2—Quando um nome é usado no singular para exprimir uma ideia ou para designar toda a espécie ou a categoria a que pertence.

Ex.: *Grande parte do público* estava descontente com a atuação do grupo.
Gosto muito de *peixe*.

3 — Quando o nome é precedido dos demonstrativos *igual, semelhante* e *tal* e dos indefinidos *certo, outro, qualquer* e *tanto.*

Ex.: *Noutra circunstância,* eu gostaria deste espetáculo.
Nunca vi *semelhante* coisa! (= uma coisa igual)
Qualquer dia, vou a casa da Joana. (= um dia destes)

Atenção: Quando algumas destas formas vêm depois do substantivo são acompanhadas de artigo.
Ex.: Quero *um livro igual* a este. / Ele disse *uma coisa certa.*

ARTIGO INDEFINIDO III (Omissão)

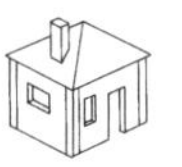

Complete as frases seguintes com ou sem o artigo indefinido. Faça as transformações necessárias.

Ex.: Queria ____ gelado, se faz favor.
Queria um gelado, se faz favor.

1 — Está ali ____ senhora que deseja falar com o sr. doutor.
2 — Queres ____ carne?
3 — Este prato é ____ especialidade russa.
4 — Estamos a comer ____ camarões deliciosos!
5 — Queres ____ lápis?
6 — Queria ver ____ sapatos muito bonitos que estão ali na montra.
7 — Querem comer mais ____ peixe?
8 — Tens ____ lenços muito bonitos.
9 — A Ana tem ____ casa lindíssima!
10 — Eles têm ____ filhos?
11 — Gostas de ____ café?
12 — A Ana tem ____ óculos giríssimos!
13 — Eles têm ____ casa muito bonita.
14 — Na conferência, estavam ______ trezentas pessoas.
15 — Nunca tinha visto ____ coisa assim!

NOMES/ADJETIVOS (NACIONALIDADES)

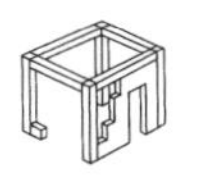

	Singular		Plural	
País	**Masculino**	**Feminino**	**Masculino**	**Feminino**
Alemanha	alemão	alemã	alemães	alemãs
Angola	angolano	angolana	angolanos	angolanas
Argélia	argelino	argelina	argelinos	argelinas
Argentina	argentino	argentina	argentinos	argentinas
Austrália	australiano	australiana	australianos	australianas
Brasil	brasileiro	brasileira	brasileiros	brasileiras
Bélgica	belga		belgas	
Cabo Verde	cabo-verdiano	cabo-verdiana	cabo-verdianos	cabo-verdianas
China	chinês	chinesa	chineses	chinesas
Dinamarca	dinamarquês	dinamarquesa	dinamarqueses	dinamarquesas
Egito	egípcio	egípcia	egípcios	egípcias
Espanha	espanhol	espanhola	espanhóis	espanholas
Estados Unidos	americano	americana	americanos	americanas
França	francês	francesa	franceses	francesas
Guiné-Bissau	guineense		guineenses	
Grécia	grego	grega	gregos	gregas
Holanda	holandês	holandesa	holandeses	holandesas
Hungria	húngaro	húngara	húngaros	húngaras
Inglaterra	inglês	inglesa	ingleses	inglesas
Irlanda	irlandês	irlandesa	irlandeses	irlandesas
Israel	israelita		israelitas	
Itália	italiano	italiana	italianos	italianas
Japão	japonês	japonesa	japoneses	japonesas
Macau	macaense		macaenses	
Marrocos	marroquino	marroquina	marroquinos	marroquinas
Moçambique	moçambicano	moçambicana	moçambicanos	moçambicanas
Noruega	norueguês	norueguesa	noruegueses	norueguesas
Nova Zelândia	neozelandês	neozelandesa	neozelandeses	neozelandesas
Palestina	palestiniano	palestiniana	palestinianos	palestinianas
Polónia	polaco	polaca	polacos	polacas
Portugal	português	portuguesa	portugueses	portuguesas
Rússia	russo	russa	russos	russas
São Tomé e Príncipe	são-tomense		são-tomenses	
Suécia	sueco	sueca	suecos	suecas
Suíça	suíço	suíça	suíços	suíças
Tailândia	tailandês	tailandesa	tailandeses	tailandesas
Timor	timorense		timorenses	
Venezuela	venezuelano	venezuelana	venezuelanos	venezuelanas
Vietname	vietnamita		vietnamitas	

NACIONALIDADE I

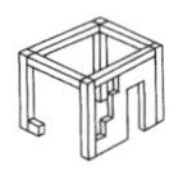

Complete as frases com os adjetivos adequados. Faça as transformações necessárias.

Ex.: O cantor Luís Represas é ____________.
A cantora Dulce Pontes também é ____________.
O cantor Luís Represas é português.
A cantora Dulce Pontes também é portuguesa.

americano	cabo-verdiano
alemão	grego
brasileiro	inglês
espanhol	italiano
francês	sueco

1—A atriz Juliette Binoche é ____________. Charles Aznavour e Edith Piaf também são ____________.

2—O cantor John Lennon é ____________. Os atores Kennet Branagh e Emma Thompson também são ____________.

3—O realizador de cinema Pedro Almodovar é ____________. Os atores Javier Bardem e Penélope Cruz também são ____________.

4—O jogador de futebol Ronaldo é ____________ e a cantora Maria Bethânia também é ____________.

5—O escritor Umberto Eco é ____________. A atriz Monica Bellucci também é ____________.

6—O cantor Paul Simon é ____________. O ator Robert DeNiro e a atriz Angelina Jolie também são ____________.

7—O escritor Günther Grass é ____________ e a atriz Hanna Schygulla também é ____________.

8—O realizador Ingmar Bergman é ____________ e a atriz Liv Ulman também é ____________.

9—O compositor Mikis Theodorakis é ____________ e a cantora Nana Mouskouri também é ____________.

10—A cantora Cesária Évora é ____________ e o escritor Baltazar Lopes também é ____________.

NACIONALIDADE II

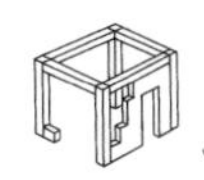

Escreva o adjetivo de nacionalidade correspondente.

Ex.: A Manuela é de Lisboa. É ________________.
A Manuela é de Lisboa. É portuguesa.

1—O Andrei é de Moscovo. É ____________________

2—O Raul e a Susana são de Buenos Aires. São ____________________

3—O Wolfgang é de Zurique. É ____________________

4—O Jean-Pierre é de Bruxelas. É ____________________

5—O Ahmed e a Fatima são de Casablanca. São ____________________

6—A Judith é de Budapeste. É ____________________

7—O João e a Sandra são de Luanda. São ____________________

8—O Peter Johansen é de Copenhaga. É ____________________

9—A Joana é de Bissau. É ____________________

10—A Sónia é de Varsóvia. É ____________________

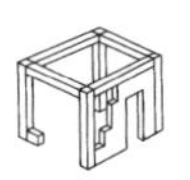

Masculino	Feminino	Masculino	Feminino
Singular		**Plural**	
ator	atriz	atores	atrizes
aluno	aluna	alunos	alunas
artista		artistas	
assistente de vendas		assistentes de vendas	
assistente social		assistentes sociais	
bancário	bancária	bancários	bancárias
banqueiro	banqueira	banqueiros	banqueiras
cabeleireiro	cabeleireira	cabeleireiros	cabeleireiras
cantor	cantora	cantores	cantoras
carpinteiro	carpinteira	carpinteiros	carpinteiras
contabilista		contabilistas	
eletricista		eletricistas	
empresário	empresária	empresários	empresárias
encenador	encenadora	encenadores	encenadoras
engenheiro	engenheira	engenheiros	engenheiras
enfermeiro	enfermeira	enfermeiros	enfermeiras
escritor	escritora	escritores	escritoras
esteticista		esteticistas	
estudante		estudantes	
fotógrafo	fotógrafa	fotógrafos	fotógrafas
funcionário público	funcionária pública	funcionários públicos	funcionárias públicas
gestor	gestora	gestores	gestoras
informático	informática	informáticos	informáticas
jornalista		jornalistas	
médico	médica	médicos	médicas
pintor	pintora	pintores	pintoras
professor	professora	professores	professoras
realizador de cinema	realizadora de cinema	realizadores de cinema	realizadoras de cinema
técnico	técnica	técnicos	técnicas
tradutor	tradutora	tradutores	tradutoras
vendedor	vendedora	vendedores	vendedoras

NACIONALIDADE E PROFISSÃO I

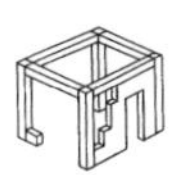

Escreva as frases seguintes no feminino.

Ex.: O Jorge é um ator português. (Manuela)
A Manuela é uma atriz portuguesa.

1—O Pablo é um professor espanhol. (Josefa) ______________________

2—O João e o Manuel são estudantes portugueses. (Luísa e Fernanda) ______________________

3—O Lin é um médico chinês. (Li) ______________________

4—O Valdemar é um engenheiro angolano. (Celina) ______________________

5—O Iorgos é um jornalista grego. (Sofia) ______________________

6—O Walter é um escritor alemão. (Petra) ______________________

7—O Alexander é um advogado russo. (Irina) ______________________

8—O Philippe é um ator de cinema francês. (Sophie) ______________________

9—O John é um economista americano. (Jane) ______________________

10—O Walter e o Ulrich são empresários alemães. (Elizabeth e Petra) ______________________

NACIONALIDADE E PROFISSÃO II

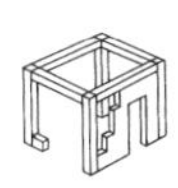

Complete este texto de acordo com as palavras entre parênteses.

Chamo-me Mariana e sou (1) ______________ (Portugal). Tenho vinte anos e sou (2) ______________ (estudante). Tenho duas irmãs mais velhas. Chamam-se Helena e Sofia. A Helena é (3) ______________ (engenheiro informático) e a Sofia é (4) ______________ (técnico de marketing.) Os meus pais são ambos (5) ______________ (professor). O meu pai é (6) ______________ (Portugal) mas a minha mãe é (7) ______________ (Espanha).

FORMAÇÃO DO FEMININO

Nomes e Adjetivos

1 — Masculino em *-o*, feminino em *-a*:

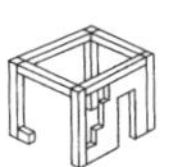

Ex.: primo→prima; secretário→secretária; branco→branca

NB: Casos particulares: Os adjetivos que terminam em *-oso* e *-orto* (*o* fechado) formam o feminino em *-osa* e *–orta* (*o* aberto). Ex.: cuidadoso→cuidadosa; morto→morta.

2 — Masculino e feminino em *-e*:

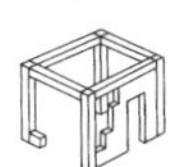

Ex.: o/a estudante; o/a presidente; inteligente; verde

3 — Masculino e feminino em *–a*:

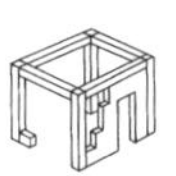

Ex.: o/a artista; o/a jornalista

4 — Masculino em *-ês*, feminino em *-esa*:

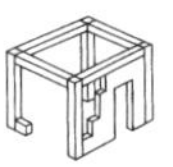

Sobretudo nomes e adjetivos que designam nacionalidade.
Ex.: português→portuguesa

5 — Masculino em *-or*, feminino em *-ora*:

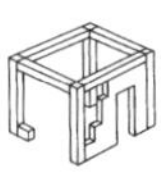

Ex.: o professor→a professora; o cantor→a cantora; importador→importadora
Exceções: São invariáveis: inferior, superior, posterior, e os graus irregulares dos adjetivos grande (maior), pequeno (menor), bom (melhor) e mau (pior).

6 — Masculino em *-ão*, feminino em *–ã*:

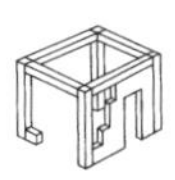

Ex.: o irmão→a irmã; alemão→alemã

7 — Masculino em *-ão*, feminino em *-ona*:

Sobretudo os aumentativos de alguns nomes e adjetivos.
Ex.: o rapagão→a raparigona; grandalhão→grandalhona

8 — Masculino em *-ão*, feminino em *–oa*:

Ex.: o leão→a leoa; o patrão→a patroa

Nomes: Casos particulares

1 — Femininos com terminações diferentes:

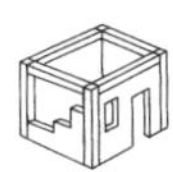

Ex.: o avô→a avó; o cão→a cadela; o galo→a galinha; o rei→a rainha; o herói→a heroína; o rapaz→a rapariga; o imperador→a imperatriz; o ator→a atriz

2 — Femininos com raízes diferentes do masculino:

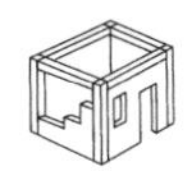

Ex.: o homem→a mulher; o pai→a mãe; o padrinho→a madrinha; o genro→a nora; o boi→a vaca; o cavalo→a égua; o carneiro→a ovelha; o bode→a cabra

3 — Femininos em *-esa; -essa; -isa,* sobretudo em nomes que designam títulos:

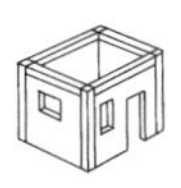

Ex.: o conde→a condessa; o barão→a baronesa; o duque→a duquesa; o cônsul→a consulesa; o sacerdote→a sacerdotisa; o poeta→a poetisa; o profeta→a profetisa

Adjetivos: Casos particulares

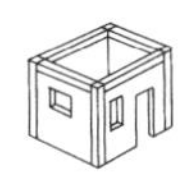

1 — Ficam invariáveis os adjetivos que terminam em *-l; -ar; -z; -es; -em; -im; -um*:

Ex.: **-l**: atual; agradável; especial; terrível; comestível; possível; difícil; fácil; azul
Exceção: espanhol→espanhola
Ex.: **-ar**: familiar; militar; triangular; espetacular
Ex.: **-z**: feliz; eficaz; feroz; capaz
Ex.: **-s**: simples; reles
Ex.: **-em**; **-im**; **-um**: selvagem; ruim; comum

2 — O masculino é diferente do feminino: *-eu*

Ex.: europeu→europeia; hebreu→hebreia; ateu→ateia
Exceção: judeu→judia

MASCULINO - FEMININO I

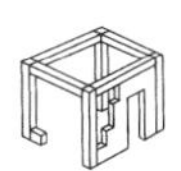

Construa frases de acordo com o exemplo:

Ex.: O carro é branco. (casa)
O carro é branco. A casa é branca.

1 — O livro é vermelho. (caneta) ______
2 — O caderno é amarelo. (esferográfica) ______
3 — O estojo é redondo. (borracha) ______
4 — O muro é alto. (casa) ______
5 — O Pedro é bonito. (Ana) ______
6 — O Jorge é estudioso. (Joana) ______
7 — O Fernando é inteligente. (Luísa) ______
8 — O filme é interessante. (canção) ______
9 — O bolo é excelente. (carne) ______
10 — O Paulo está sempre atento. (Júlia) ______

MASCULINO - FEMININO II

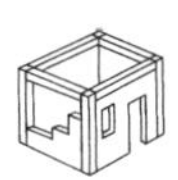

Escreva estas frases no feminino.

Ex.: O cão é gordo.
A cadela é gorda.

1—O homem é elegante. ______
2—O rapaz é filho do teu tio? ______
3—O cavalo do menino é muito calmo. ______
4—O avô do menino é ator. ______
5—O diretor é pai do jornalista. ______
6—O genro do marquês é alemão. ______
7—O avô do padrinho é poeta. ______
8—O ator espanhol é melhor do que o inglês. ______
9—O Rei de Espanha é desportista. ______
10—O arquiteto é apreciador de ópera. ______

MASCULINO - FEMININO III

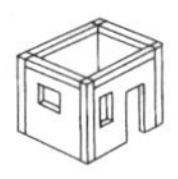

Complete as frases com a forma adequada do adjetivo.

Ex.: Esta bicicleta é muito ______ (barato).
Esta bicicleta é muito barata.

1—Esta casa é muito ______ (caro).
2—A carne que compraste é muito ______ (bom).
3—A atitude dele é muito ______ (comum).
4—Esta camioneta tem sido muito ______ (útil).
5—A religião ______ (cristão) não chegou a estas paragens.
6—Ela anda tão ______ (infeliz). O que tem?
7—É uma artista ainda muito ______ (jovem).
8—A Joana é uma aluna muito ______ (inteligente).
9—O meu irmão assina uma revista ______ (alemão).
10—Esta situação é muito ______ (real).

MASCULINO - FEMININO IV

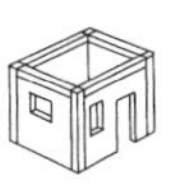

Escreva na coluna do meio a letra correspondente ao adjetivo adequado.

1—O sapato está	*b)*	a) escura
2—A carne é		b) apertado
3—A cerveja está		c) casado
4—O tempo está		d) naturais
5—A igreja é		e) saborosos
6—As flores são		f) silenciosa
7—A parede é		g) alta
8—O mar está		h) agitado
9—A rapariga é		i) largas
10—A aluna é		j) estudiosa
11—O comboio é		k) dura
12—Os morangos são		l) rápido
13—A sala é		m) fresca
14—O professor é		n) frio
15—As calças estão		o) amarela

FORMAÇÃO DO PLURAL

Nomes e adjetivos

Regra geral:

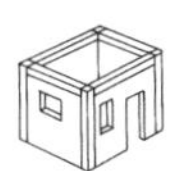

O plural dos nomes terminados em vogal ou ditongo forma-se acrescentando-se *-s* ao singular.

Ex.: mesa→mesas; mãe→mães

Nota 1: Quando acabam em *-m*, mudam o *-m* em *-ns*.

Ex.: homem→homens; jardim→jardins; bem→bens.

Nota 2: Alguns nomes cuja vogal tónica é *o* fechado, mudam no plural o *o* fechado para *o* aberto.

Ex.: caroço→caroços; porco→porcos

Casos especiais:

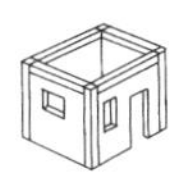

1—Nomes terminados em *-ão*.

A—**A maioria faz o plural em *-ões*.**

Ex.: limão→limões; revolução→revoluções; leão→leões; patrão→patrões; canção→canções; situação→situações; religião→religiões

B—**Alguns fazem o plural em *-ães*.**

Ex.: capitão→capitães; pão→pães; cão→cães; alemão→alemães

C — **Alguns fazem o plural em *-ãos.***

Ex.: órfão→órfãos; órgão→órgãos; irmão→irmãos; bênção→bênçãos; cristão→cristãos; cidadão→cidadãos

2 — Os nomes terminados em *-n, -r, -s, -z* formam o plural acrescentando *-es* ao singular.

Ex.: *dólmen→dólmenes; professor→professores; ananás→ananases; nariz→narizes*

Nota: Se os nomes terminados em *-s* são paroxítonos[2], ficam invariáveis.

Ex.: o *lápis*→os *lápis;* o *atlas*→os *atlas*

3 — Nomes e adjetivos terminados em *-al, -el, -il, -ol, -ul.*

A — **Os nomes e adjetivos terminados em *-al, -el, -ol, -ul* formam o plural mudando o *-l* em *-is.***

Ex.: *animal→animais; papel→papéis; espanhol→espanhóis; azul→azuis*

Exceção: *cônsul→cônsules; mal→males*

B — **Os nomes e os adjetivos terminados em *-il*:**

a) Se são oxítonos[1], mudam o *-l* em -s.

Ex.: *funil→funis; carril→carris; cantil→cantis*; gentil→gentis

b) Se são paroxítonos[2], mudam o *-l* em *-eis.*

Ex.: *réptil→répteis; fóssil→fósseis; dócil→dóceis; projétil→projéteis*

4 — Plural dos nomes diminutivos e dos nomes compostos

A — **Alguns nomes diminutivos -zinho ou -zito têm marca do plural no tema e no sufixo.**

Ex.: *anãozinho→anõezinhos; cãozinho→cãezinhos*

B — **Os nomes compostos:**

a) **Aglutinados: seguem as regras dos nomes simples.**

Ex.: *aguardente→aguardentes; varapau→varapaus; vinagre→vinagres*

b) **Compostos (com hífen): se as palavras que constituem o nome composto forem ambas variáveis, tomam as duas a marca do plural.**

Ex.: *curto-circuito→curtos-circuitos; obra-prima→obras-primas*

c) **Se uma das palavras for um verbo, só a outra muda.**

Ex.: *mata-borrão→mata-borrões; guarda-chuva→guarda-chuvas; guarda-sol→guarda-sóis*

d) **Se uma das palavras for invariável, só a outra muda.**

Ex.: *abaixo-assinado→abaixo-assinados*

e) **Se as duas palavras estiverem unidas por uma preposição, só a primeira vai para o plural.**

Ex.: *fim de semana→fins de semana*

---

[1] Palavras oxítonas são palavras acentuadas na última sílaba.

[2] Palavras paroxítonas são palavras acentuadas na penúltima sílaba.

SINGULAR - PLURAL I

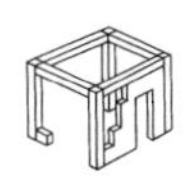

Escreva estas frases no plural.

Ex.: O meu livro é preto e branco.
Os meus livros são pretos e brancos.

1—O meu filho é bonito. ______
2—A mesa é grande. ______
3—O computador é novo. ______
4—O meu gato é preto. ______
5—A caneta é amarela. ______
6—O sofá é antigo. ______
7—A cadeira é moderna. ______
8—A porta é castanha. ______
9—O ator é fantástico. ______
10—A janela é enorme. ______

SINGULAR - PLURAL II

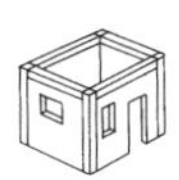

Escreva estas frases no plural.

Ex.: O livro é amarelo.
Os livros são amarelos.

1—O jornal está em cima da mesa. ______
2—O irmão do professor é comerciante. ______
3—O patrão do meu primo é alemão. ______
4—O rapaz da mochila é sobrinho do dono do quiosque. ______
______
5—O avô gosta muito do nosso pão. ______
6—O cão é do meu primo. ______
7—O avião é rápido. ______
8—Esta canção popular é antiga. ______
9—O jardim da casa da mãe é enorme. ______
10—A televisão da sala é maior do que a do quarto. ______
______

SINGULAR - PLURAL III

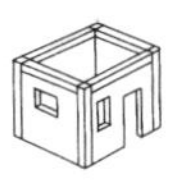

Escreva estas frases no plural.

Ex.: Esta canção é muito agradável.
Estas canções são muito agradáveis.

1—Este anel é da mãe? ____________________

2—A mulher alemã é guia turística? ____________________

3—Este jornal desportivo é melhor do que aquele. ____________________

4—Aquele país é especial. ____________________

5—O cão do capitão é dócil. ____________________

6—O homem do chapéu azul é terrível. ____________________

7—A blusa da minha irmã é azul. ____________________

8—Este lápis amarelo é bom. ____________________

9—O teu amigo alemão está no hotel? ____________________

10—A intervenção dele é útil. ____________________

SINGULAR - PLURAL IV

Escreva estas frases no plural.

1—Este porta-moedas é do João. ____________________

2—Aquele cãozinho é do senhor capitão. ____________________

3—Esta aguardente é do meu tio-avô. ____________________

4—O guarda-chuva é do senhor cônsul. ____________________

5—O avô vem ao fim de semana. ____________________

VAMOS LÁ RECAPITULAR! 1

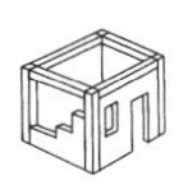

Complete este texto com a forma adequada da palavra entre parênteses.

O Jorge e (1) ______ Ana são dois (2) ______ (jovem) (3) __________ (português). Moram em Sintra, (4) _______ (um) vila (5) _________ (antigo) perto de Lisboa, (6) __________ (conhecido) pelos seus (7) _________ (maravilhoso) (8) _________ (palácio) e (9) _________ (castelo). (10) ______ casa deles é (11) ____________ (pequeno) mas muito (12) __________ (bonito). Os (13) __________ (pai) são (14) _______________ (professor) na Escola (15) __________ (secundário) de Sintra. (16) __________ Jorge é mais novo do que (17) __________ (18) __________ (irmão). Ele ainda está (19) __________ (em) a Escola Secundária. (20) _________ Ana estuda (21) __________ (em) a Faculdade de Economia e quer ser (22) __________ (gestor) de empresas.

NUMERAIS

CARDINAIS		ORDINAIS	
0 - zero	30 - trinta	1° - primeiro	30° - trigésimo
1 - um/uma	40 - quarenta	2° - segundo	40° - quadragésimo
2 - dois/duas	50 - cinquenta	3° - terceiro	50° - quinquagésimo
3 - três	60 - sessenta	4° - quarto	60° - sexagésimo
4 - quatro	70 - setenta	5° - quinto	70° - septuagésimo
5 - cinco	80 - oitenta	6° - sexto	80° - octogésimo
6 - seis	90 - noventa	7° - sétimo	90° - nonagésimo
7 - sete	100 - cem	8° - oitavo	100° - centésimo
8 - oito	101 - cento e um	9° - nono	101° - centésimo primeiro
9 - nove	102 - cento e dois	10° - décimo	102° - centésimo segundo
10 - dez	125 - cento e vinte e cinco	11° - décimo primeiro	145° - centésimo quadragésimo quinto
11 - onze	200 - duzentos	12° - décimo segundo	
12 - doze	300 - trezentos	13° - décimo terceiro	200° - ducentésimo
13 - treze	400 - quatrocentos	14° - décimo quarto	300° - tricentésimo
14 - catorze	500 - quinhentos	15° - décimo quinto	400° - quadringentésimo
15 - quinze	600 - seiscentos	16° - décimo sexto	500° - quingentésimo
16 - dezasseis	700 - setecentos	17° - décimo sétimo	600° - seiscentésimo
17 - dezassete	800 - oitocentos	18° - décimo oitavo	700° - septingentésimo
18 - dezoito	900 - novecentos	19° - décimo nono	800° - octingentésimo
19 - dezanove	1000 - mil	20° - vigésimo	900° - nongentésimo
20 - vinte	1002 - mil e dois	21° - vigésimo primeiro	1000° - milésimo
21 - vinte e um	1640 - mil seiscentos e quarenta	22° - vigésimo segundo	10 000° - décimo milésimo
22 - vinte e dois	10 000 - dez mil	23° - vigésimo terceiro	1000 000° - milionésimo
23 - vinte e três	1 000 000 - um milhão	24° - vigésimo quarto	1 000 000 000° - bilionésimo
24 - vinte e quatro	1 000 000 000 - um bilião	25° - vigésimo quinto	
25 - vinte e cinco		26° - vigésimo sexto	
26 - vinte e seis		27° - vigésimo sétimo	
27 - vinte e sete		28° - vigésimo oitavo	
28 - vinte e oito		29° - vigésimo nono	
29 - vinte e nove			
		Nota: Todos os numerais ordinais variam em género e número. Ex.: *primeiro, primeira, primeiros, primeiras.*	

NUMERAIS I

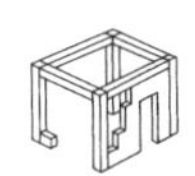

Escreva os numerais por extenso.

Ex.: 14 ____________________

14 catorze

a) 88 ____________________

b) 26 ____________________

c) 85 ____________________

d) 60 ____________________

e) 4 ____________________

f) 68 ____________________

g) 12 ____________________

h) 97 ____________________

i) 39 ____________________

j) 125 ____________________

NUMERAIS II

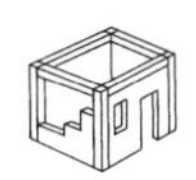

Escreva os numerais por extenso.

Ex.: 15º ________________

15º décimo quinto

a) 7º ________________
b) 24º ________________
c) 30º ________________
d) 10º ________________
e) 6º ________________
f) 3º ________________
g) 8º ________________
h) 19º ________________
i) 12º ________________
j) 4º ________________

NUMERAIS III

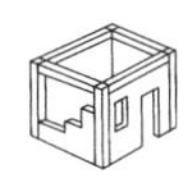

Responda às perguntas seguintes de acordo com os numerais entre parênteses.

Ex.: Quantos anos tem o Pedro? (2)

O Pedro tem dois anos.

1—Quantos anos tem o Jorge? (12) ________________
2—Qual é o teu número de telefone? (21 455 69 89) ________________
3—Quantos anos têm o João e a Ana? (12; 15) ________________
4—Quantos irmãos tem o Pedro? (3) ________________
5—Quantos livros estão em cima da mesa? (13) ________________
6—Que horas são? (6h05) ________________
7—Quanto custa este casaco? (225 euros) ________________
____
8—Quanto custa aquele carro? (16.000 euros) ________________
____
9—Há quantos anos estás em Lisboa? (26) ________________
10—Quanto mede a tua filha? (1,78m) ________________

NUMERAIS IV

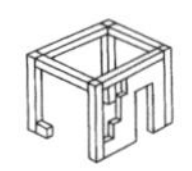

Diga em voz alta as seguintes matrículas. **SÓ PARA A AULA**

MATRÍCULAS DE AUTOMÓVEIS

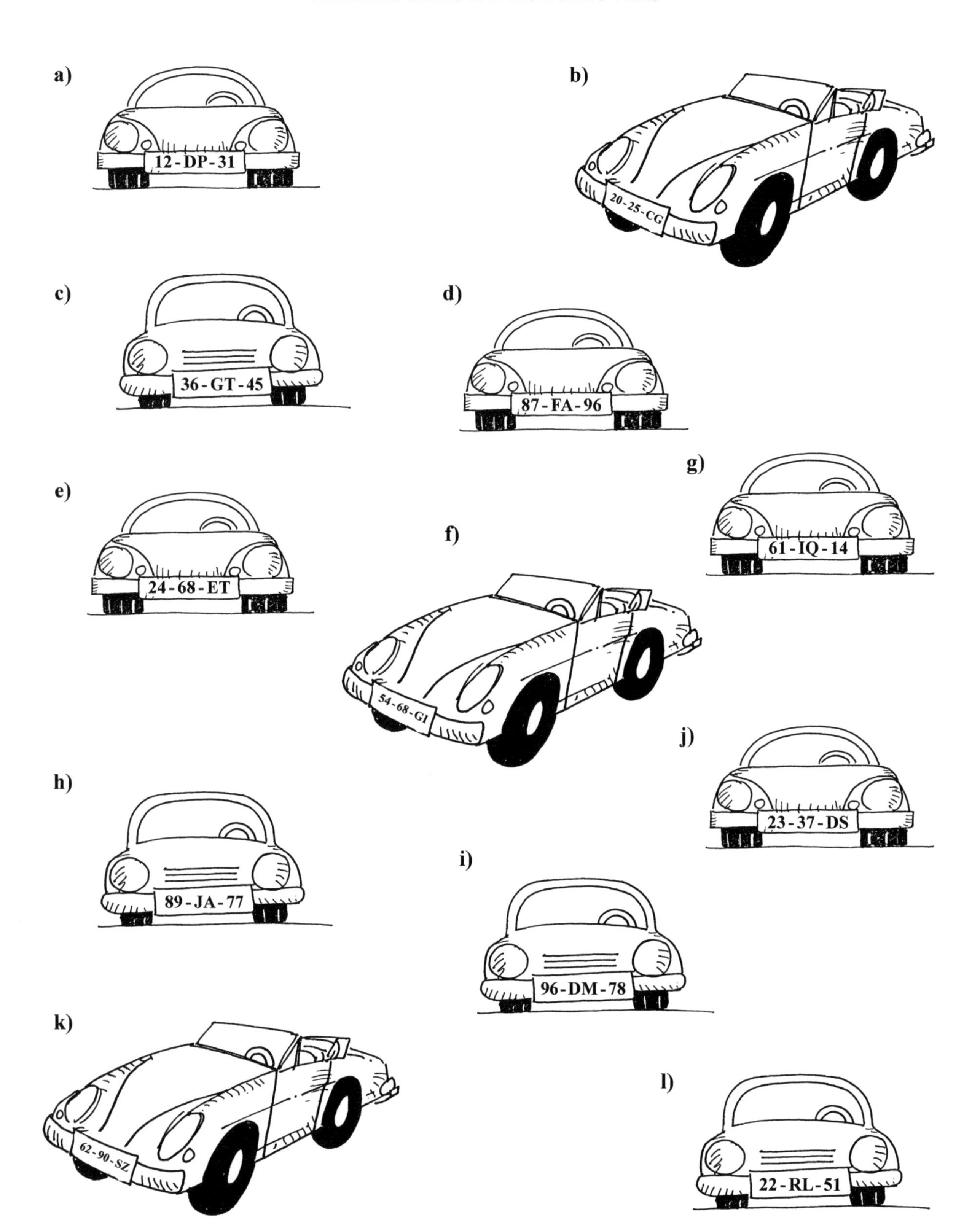

INDICATIVOS TELEFÓNICOS

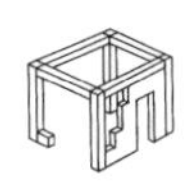

ALEMANHA—0049	**CABO VERDE—00238**	**GUINÉ-BISSAU—00245**	**MOÇAMBIQUE—00258**
Berlim—30 Bona—228 Munique—89 **ANGOLA—00244** **AUSTRÁLIA—0061** **BÉLGICA—0032** Bruxelas—2 **BRASIL—0055** Brasília—61 Recife—81 Rio de Janeiro—21	 **ESPANHA—0034** Barcelona—3 Madrid—1 **EUA—001** Nova Iorque—212 São Francisco—415 **FRANÇA—0033** Paris—01 **GRÉCIA—0030**	 **ITÁLIA—0039** Milão—2 Roma—6 Veneza—41 **INGLATERRA—0044** Cambridge—1223 Londres—171 Liverpool—151 Manchester—161 Oxford—1865	 **PORTUGAL—00351** Aveiro—234 Braga—253 Coimbra—239 Évora—266 Faro—289 Lisboa—21 Porto—22 **S.TOMÉ E PRÍNCIPE —00239**

INDICATIVOS TELEFÓNICOS

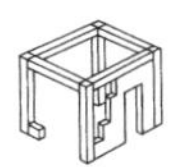

Responda a esta pergunta escrevendo os numerais por extenso:

Ex.: ______________________________ **(Milão)**

O indicativo telefónico de Milão é o dois.

1—______________________________ (Portugal)

2—______________________________ (França)

3—______________________________ (Aveiro)

4—______________________________ (Cambridge)

5—______________________________ (Manchester)

6—______________________________ (Moçambique)

7—______________________________ (Munique)

8—______________________________ (Porto)

9—______________________________ (Évora)

10—______________________________ (Coimbra)

POSSESSIVOS

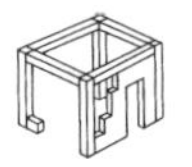

	Masculino	Feminino	Masculino	Feminino
	singular		Plural	
eu	(o) meu	(a) minha	(os) meus	(as) minhas
tu	(o) teu	(a) tua	(os) teus	(as) tuas
(você), o senhor/a senhora	(o) seu	(a) sua	(os) seus	(as) suas
ele	(o) - dele	(a) - dele	(os) - dele	(as) - dele
ela	(o) - dela	(a) - dela	(os) - dela	(as) - dela
nós	(o) nosso	(a) nossa	(os) nossos	(as) nossas
vocês, os senhores/as senhoras	(o) vosso	(a) vossa	(os) vossos	(as) vossas
eles	(o) deles	(a) deles	(os) deles	(as) deles
elas	(o) delas	(a) delas	(os) delas	(as) delas

Emprego dos Possessivos

Em Português, os **Possessivos** indicam a "posse" e podem ser **determinantes** ou **pronomes**.

Quando são **determinantes**, são quase sempre precedidos pelo artigo definido (ao contrário do que acontece em Espanhol, Francês, Inglês, Alemão, etc.) e precedem sempre um nome (**o meu** pai) exceto os possessivos de terceira pessoa (**o** carro **dele**, **o** tio **dela**, **os** livros **deles**, etc.).

Quando são **pronomes**, podem ser precedidos pelo artigo definido (É **o dele**.) e podem ocorrer sem artigo.

Ex.: —De quem é o livro azul?
—É **meu**.

Exemplos:

—Joana, empresta-me **o seu** disco dos Madredeus?
—Pedro, podia-me trazer **a sua** máquina, se faz favor?
—Este livro é **dele**. Não é **dela**.
—**Os vossos** filhos são muito mais simpáticos do que **os nossos**.
—**O** escritório **deles** é muito maior do que **o delas**.
—**As** televisões **deles** são muito melhores do que **as delas**.
—Este é **o** carro **dele**.
—Esta é **a** casa **dele**.
—Este é **o** gabinete **dela**.
—**A nossa** ideia é mais interessante do que **a vossa**.
—Esta casa é **nossa**.
—Aquele livro é **vosso**.

Nota: Na linguagem cuidada, **o seu, a sua, os seus, as suas** têm o mesmo valor que na linguagem corrente **o dele, a dele, o dela, a dela, os deles, as delas**.

Exemplo:
Linguagem cuidada (**linguagem** escrita ou **linguagem** oral muito cuidada):
***O seu** livro foi um sucesso.*

Linguagem oral (informal):
*O livro **dele** foi um sucesso.*

POSSESSIVOS I

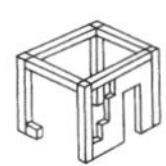

Siga o exemplo.

Ex.: (Eu)/carro.
O meu carro.

1—(eu)/casa ______
2—(tu)/pai ______
3—(ele)/livro ______
4—(ela)/filho ______
5—(vocês)/primo ______
6—(O senhor)/casa ______
7—(A senhora)/casaco ______
8—(Os senhores)/filhas ______
9—(nós)/filha ______
10—(ela)/escola ______

POSSESSIVOS II

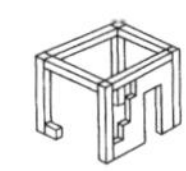

Escolha o possessivo adequado para substituir as palavras sublinhadas.

Exemplo:

O caderno azul pertence-te.

é teu	*X*
é o teu	
é o meu	
é meu	

1—O livro de Inglês pertence-me.

é meu	
é o meu	
é o seu	
é seu.	

2—O Nissan amarelo é do senhor?

o dele	
seu	
teu	
dele	

3—As canetas castanhas são da Joana?

suas	
as dela	
dela	
as suas	

4—Os livros não são os do João. São <u>os do Pedro</u>.

os dele	
dele	
seus	
os seus	

5—<u>Os livros que me pertencem</u> estão no meu gabinete.

Os teus livros	
Meus livros	
Os meus livros	
Teus livros	

6—<u>Os filhos do sr. Lopes e da d. Joana</u> são muito simpáticos.

Seus filhos	
Os seus filhos	
Os filhos deles	
Filhos deles	

7—<u>O carro que te pertence</u> é muito bonito.

O teu carro	
Seu carro	
Teu carro	
O seu carro	

8—<u>A casa que vos pertence</u> é enorme.

A sua casa	
Vossa casa	
A vossa casa	
As suas casas	

9—Empresta-me <u>o carro que lhe pertence?</u>

seu carro	
o seu carro	
o vosso carro	
vosso carro	

10—Não conhecia <u>a quinta que me pertence?</u>

minha quinta	
a nossa quinta	
a minha quinta	
nossa quinta	

POSSESSIVOS III

Complete as frases com possessivos de acordo com o exemplo.

Ex.: Onde está o __________? (tu/caderno) O __________ está ali. (eu/caderno)
Onde está o teu caderno? O meu caderno está ali.

1 — De que cor é o __________? (livro/tu) O __________ livro é vermelho e branco. (eu)
2 — De quem são as canetas que estão dentro da pasta? São __________. (nós)
3 — A __________ é muito pequena. (casa/ele)
4 — De quem é o jornal? É __________. (ele)
5 — Onde está o __________? (carro/você) O __________ carro está perto da escola. (eu)
6 — De quem é a esferográfica verde? É __________.(a senhora)
7 — De quem são os óculos castanhos? São __________. (eu)
8 — Onde estão os __________ filhos? (eu) Estão no __________ carro. (eu)
9 — Para onde foi a __________ prima? (eu) Foi para __________. (casa/ela)
10 — De quem são os lápis azuis e brancos? São __________. (ele)

POSSESSIVOS IV

Complete as frases de acordo com o exemplo.

Ex.: Nós temos duas casas na praia. São as __________ casas.
Nós temos duas casas na praia. São as nossas casas.

1 — Eu tenho dois computadores. São os __________ computadores.
2 — Tu tens um telemóvel. É o __________ telemóvel.
3 — Ele tem uma caneta. É a caneta __________.
4 — O senhor tem um bonito casaco. É o __________ casaco.
5 — Vocês têm um belo barco. É o __________ barco.
6 — Eles têm uma casa na praia. É a casa __________.
7 — Eu tenho duas impressoras. São as __________ impressoras.
8 — Eles têm um computador. É o computador __________.
9 — Nós temos duas televisões. São as __________ televisões.
10 — A senhora tem uma bonita jarra. É a __________ jarra.

POSSESSIVOS V

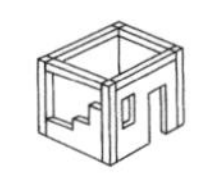

Complete as frases seguintes com os possessivos adequados, de acordo com a palavra entre parênteses.

Ex.: Eu saio do ____________ emprego às oito. (eu)

Eu saio do meu emprego às oito.

1—Tu tens o ____________ carro muito longe? (tu)
2—A Joana é casada. O marido ____________ chama-se Fernando. (ela)
3—Ele vem para a reunião com o cão ____________? (ele)
4—Vocês já trouxeram a ____________ filha aqui? (vocês)
5—Sr. Fernandes, como está a ____________ esposa? (o senhor)
6—O ____________ computador é muito bom. (eu)
7—Podes levar o ____________ filho logo à noite? (tu)
8—Vocês vivem com os ____________ pais? (vocês)
9—D. Manuela, onde está a ____________ filha? (a senhora)
10—Vocês já encontraram os ____________ filhas? (vocês)

DEMONSTRATIVOS

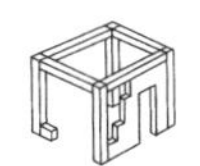

este **esta** **estes** **estas**	**esse** **essa** **esses** **essas**	**aquele** **aquela** **aqueles** **aquelas**
isto	**isso**	**aquilo**
Indica um objeto ou ser próximo (no espaço e no tempo) do locutor (a pessoa que fala: eu/nós) e pode ser acompanhado pelos advérbios de lugar *aqui* ou *cá.*	Indica um objeto ou ser próximo (no espaço e no tempo) do interlocutor (a pessoa com quem se fala: tu/vocês/os senhores) e pode ser acompanhado pelo advérbio de lugar *aí.*	Indica um objeto ou ser afastado (no espaço e no tempo) do locutor e do interlocutor ou que se pensa não estar relacionado com os dois. Pode ser acompanhado pelos advérbios *ali* ou *lá* ou por expressões indicativas de um espaço ou de um tempo que não está relacionado com os dois: na outra sala, no outro dia, etc.
 *De quem é este livro?*	 *Essa bola é tua?*	 *De quem é aquela casa?*

Localização no espaço 	**Localização no tempo** 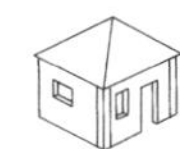
—De que cor é **este** livro? (aqui) —**Esta** revista que eu estou a ler é muito interessante. (aqui) —O que é **isto**? (aqui) —De que cor é **esse** cachecol (aí)? —**Isso** (aí) é uma esferográfica. —De que cor é **aquele** livro (ali)? —O que é **aquilo** (ali)? —**Aquela** casa, no <u>outro</u> lado da rua, é da minha tia.	—**Neste** momento, não posso sair. (agora) —**Naquele** tempo (quando eu era pequeno), costumávamos jogar à bola na rua! —**Nesse** dia (que <u>tu</u> propuseste), não posso ir jantar contigo.

Contração de algumas preposições com os demonstrativos
de + este/esse/aquele ⇒ **deste/desse/daquele**
de + isto/isso/aquilo ⇒ **disto/disso/daquilo**
em + este/esse/aquele ⇒ **neste/nesse/naquele**
em + isto/isso/aquilo ⇒ **nisto/nisso/naquilo**
a + aquele ⇒ **àquele**
a + aquela ⇒ **àquela**
a + aquilo ⇒ **àquilo**

Exemplos:

Nota: O estudo dos demonstrativos deve ser feito ao mesmo tempo que o estudo dos advérbios de lugar *aqui, aí, ali* (páginas 127 e 128).

DEMONSTRATIVOS I

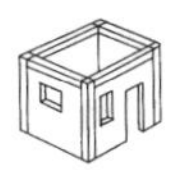

Complete as frases com os demonstrativos adequados.

Ex.: ______________ livro aqui é meu.
Este livro aqui é meu.

1—______________ cadeira ali é dele.
2—______________ mesa aqui é minha.
3—______________ livro aqui é amarelo.
4—______________ lápis aí é teu.
5—______________ quadro ali é muito bonito.
6—______________ caixotes vão ficar aí.
7—______________ sacos aqui são do Manuel.
8—______________ malas aqui são da d. Maria.
9—______________ livros ali são do Pedro.
10—______________ cassetes aí são do professor.

DEMONSTRATIVOS II

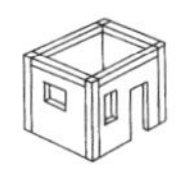

Complete as frases segundo o exemplo.

Ex.: ____________ aqui é uma cadeira.
Isto aqui é uma cadeira.

1—____________ ali é um doce turco.
2—____________ aqui é um instrumento africano.
3—____________ aqui é uma caixa chinesa.
4—____________ ali é um cinto africano.
5—____________ aqui é um *modem.*
6—____________ aí é uma prenda para o João.
7—____________ aqui é uma caixa de lápis.
8—____________ aí é um CD-ROM.
9—____________ ali é uma câmara de vídeo.
10—____________ aqui é um agrafador.

DEMONSTRATIVOS III

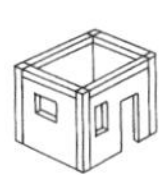

Construa frases segundo o exemplo.

Ex.: O livro está muito perto de mim.
Está aqui. É este.

1—A cadeira está perto de ti. ______________________________
2—As flores estão junto de mim. ______________________________

3—O quadro está perto da janela. ____________

4—O cinzeiro está junto deles. ____________

5—O carro do Pedro está ao fundo da rua. ____________

6—O casaco está próximo de vocês. ____________

7—O cão está sentado ao pé de nós. ____________

8—O DVD está debaixo da televisão. ____________

9—Os cigarros não estão aqui. Estão num casaco que está na outra sala. ____________

10—As malas dele não estão aqui. Estão no rés do chão. ____________

DEMONSTRATIVOS IV

Complete com os demonstrativos adequados fazendo as transformações necessárias.

Ex.: ____________ casa aqui é do meu tio.

Esta casa aqui é do meu tio.

1—____________ carro (ali) é do Pedro. ____________ aqui é da Ana.

2—O que é ____________ (ali) ? —____________ é uma bola de râguebi.

3—Quem são ____________ senhores que estão ali a falar com o Zé Pedro?

4—____________ casa (aqui) está cheia de flores.

5—Pronto! Não quero ouvir falar mais de ____________ assunto.

6—Ó Jorge: podes trazer para aqui ____________ caixote (que está aí ao pé de ti)?

7—Não gosto nada de ____________ música que o João estava a ouvir lá em casa dele!

8—Lembras-te de ____________ filme de que te falei na semana passada?

9—Por favor, não quero voltar a ver ____________ indivíduo que veio cá na semana passada!

10—Em ____________ tempo (em que eu era novo), jogávamos futebol na rua.

DEMONSTRATIVOS V

Complete com os demonstrativos adequados.

No Porto, um turista pergunta a um transeunte:

Turista: Se faz favor, sabe dizer-me qual é ***aquela*** ponte (ali)?

Transeunte: (1) ____________ ali é a Ponte D. Maria. É uma ponte ferroviária mas já está desativada.

Turista: E (2) ____________ aqui?

Transeunte: (3) ____________ aqui é a Ponte D. Luís.

Turista: E (4) ____________ a seguir à Ponte D. Maria?

Transeunte: (5) ____________ é a Ponte S. João. E (6) ____________ que está mais perto do mar é a Ponte da Arrábida.

Turista: Muito obrigado.

Transeunte: De nada.

VAMOS LÁ RECAPITULAR! 2

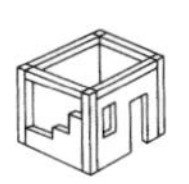

Complete as frases escolhendo as palavras adequadas deste quadro.

francês	Viseu	colega
simpáticos	essa	cinco
engenheiro	o	espanhóis
dez milhões	numa	os
moderna	dele	alemães

__O__ pai do meu (1) ____________ Francisco chama-se Bernardo. É (2) ____________ informático (3) ____________ empresa perto de (4) ____________. (5) ____________ colegas (6) ____________ são muito (7) ____________. Tem (8) ____________ colegas estrangeiros: o Jean-Pierre, que é (9) ____________, a Sofia e o Juan que são (10) ____________ e o Hanz e a Petra que são (11) ____________. A empresa é muito (12) ____________ e é (13) ____________ uma das razões do sucesso. No ano passado, o volume de negócios foi superior a (14) ____________ de euros.

GRAUS DOS ADJETIVOS

Adjetivos regulares 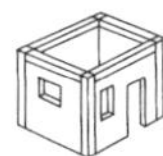	
Normal	Este livro é **interessante**.
Comparativo de igualdade	Este livro é ***tão interessante como*** aquele.
Comparativo de superioridade	Este livro é ***mais interessante do que*** aquele.
Comparativo de inferioridade	Este livro é ***menos interessante do que*** aquele.
Superlativo relativo de superioridade	Este livro é ***o mais interessante*** de todos.
Superlativo relativo de inferioridade	Este livro é ***o menos interessante*** de todos.
Superlativo absoluto sintético	Este livro é ***interessantíssimo***.
Superlativo absoluto analítico	Este livro é ***muito interessante***.

Adjetivos irregulares 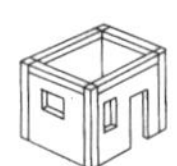

Alguns adjetivos são irregulares em alguns graus: Ex.: *bom, mau, grande, pequeno.*

	bom/boa	***mau/má***	***grande***	***pequeno/a***
Comparativo de superioridade	*melhor*	*pior*	*maior*	*menor*[3]
Superlativo relativo de superioridade	*o/a melhor*	*o/a pior*	*o/a maior*	*(o/a menor)*
Superlativo absoluto sintético	*ótimo/a*	*péssimo/a*	*máximo*	*mínimo/a*

Superlativo absoluto sintético

Alguns casos especiais 

fácil — *facílimo*
difícil — *dificílimo*
pobre — *paupérrimo*
célebre — *celebérrimo*
fiel — *fidelíssimo*
sábio — *sapientíssimo*
feliz — *felicíssimo*
capaz — *capacíssimo*
amigo — *amicíssimo*
simples — *simplicíssimo*

[3] No Português Europeu, sobretudo na linguagem corrente, usam-se frequentemente as formas regulares do adjetivo *pequeno*: Comparativo de Superioridade: *mais pequeno*; Superlativo Relativo de Superioridade: *o mais pequeno*; Superlativo Absoluto Sintético: *pequeníssimo*. Ex.: O meu quarto é *mais pequeno* do que o teu.

GRAUS DOS ADJETIVOS I

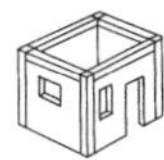

Complete as frases com os adjetivos entre parênteses e de acordo com os sinais indicados: + superioridade; = igualdade; - inferioridade.

Ex.: A Ana é ______________ (alta) da turma. (+)

A Ana é a mais alta da turma.

1 — Este livro é muito ______________ (grande) ______________ aquele. (+)

2 — Aquele carro é ______________ (rápido) ______________ este. (-)

3 — O meu cão é ______________ (grande) de todos! (+)

4 — A tua pasta é ______________ (velha) ______________ a minha. (+)

5 — A minha caneta é ______________ (bom) ______________ a tua. (+)

6 — Este filme é muito ______________ (mau) ______________ o que eu vi ontem. (+)

7 — Os teus livros são ______________ (bom) ______________ os do Paulo. (+)

8 — A casa da Joana é ______________ (grande) ______________ a da Manuela. (=)

9 — O Pedro está quase ______________ (crescido) ______________ o Jorge. (=)

10 — A Universidade de Coimbra é uma das ______________ (antiga) da Europa. (+)

GRAUS DOS ADJETIVOS II

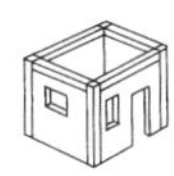

Complete as frases segundo o exemplo.

Ex.: O computador do Pedro é novo mas o do Jorge é ***mais novo***. O computador do Jorge é ***o mais novo*** de todos.

1 — Este anel é bonito mas aquele é ______________. Aquele é ______________ da loja.

2 — Esta casa é grande mas a da Luísa é ______________. A casa da Luísa é ______________ de todas.

3 — Este bolo é bom mas o teu é ______________. O teu bolo é ______________ de todos.

4 — Este filme é mau mas aquele que vimos anteontem é ______________. Aquele foi ______________ filme que vi nos últimos tempos.

5 — Esta turma é barulhenta mas o 7° H é ______________. O 7° H ______________ ______________ de toda a escola!

6 — Este carro é confortável mas aquele é ______________. Aquele carro ______________ ______________ de todos.

7 — Os quartos são espaçosos mas a sala é ______________. A sala é ______________ (divisão) da casa.

8 — A minha bicicleta é pesada mas a do Pedro é ______________. A bicicleta do Pedro é ______________ de todas.

9 — O João é gordo mas o Jorge ainda é ______________. Acho que o Jorge é ______________ (aluno) da turma.

10 — A Isabel é elegante mas a Ana Maria é ______________ do que ela. A Ana Maria é ______________ (aluna) da turma.

GRAUS DOS ADJETIVOS III

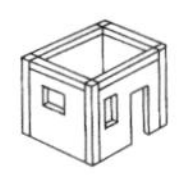

Siga o modelo: A igreja é mais antiga do que o museu. *O museu não é tão antigo como a igreja.*

1—A Espanha é maior do que Portugal. ____________
2—Ele é mais trabalhador do que o João. ____________
3—A sopa está mais quente do que o frango. ____________
4—O Jorge é mais alto do que o Pedro. ____________
5—A Ana é mais estudiosa do que a Joaninha. ____________
6—A minha casa é mais espaçosa do que a tua. ____________
7—A Carla é melhor aluna do que a Paula. ____________
8—A Paula mede 1,50 m. O irmão mede 1,62 m. ____________
9—O João pesa 90 kg e o Pedro pesa 75 Kg. ____________
10—A Margarida trabalha mais do que o Zé. ____________

GRAUS DOS ADJETIVOS IV

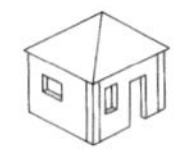

Complete as frases seguintes segundo o exemplo.

Ex.: O João é alto. *É altíssimo.*

1—O Pedro é muito forte. ____________
2—O Jorge é muito lindo. ____________
3—A Manuela é muito gira! ____________
4—Os meus tios são bastante ricos. ____________
5—Este filme é muito bom. ____________
6—Esta caneta é muito fraca. ____________
7—Esta sanduíche é muito má. ____________
8—O livro que me emprestaste é muito difícil! ____________
9—Ela tem um carro muito caro! ____________
10—O Jorge anda muito aborrecido. ____________

VAMOS LÁ RECAPITULAR! 3

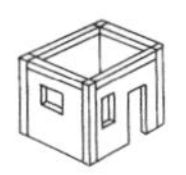

Complete este postal com as palavras adequadas.

Lisboa, 14 de julho de 2001

Querida (1) ______________ (pai),
Esta cidade é (2) ______________ (lindo)! Estamos a adorar! Tem monumentos (3) ______________ (histórico) (4) ______________ (antigo): a Torre de Belém, o Mosteiro (5) ______________ Jerónimos, a Sé Catedral, mas também tem zonas (6) ______________ (moderno) como, por exemplo, a zona onde se realizou a EXPO 98. É mesmo (7) ______________ (moderno) do que o Centro Cultural de Belém, um edifício (8) ______________ (polémico), construído quando Lisboa foi a Capital (9) ______________ (Europeu) da Cultura. Lisboa também é muito (10) ______________ (rico) em museus: o Museu de Arte (11) ______________ (Antigo) onde está o famoso quadro das (12) ______________ (Tentação) de Santo Antão, de Jheronymus Bosch, e o Museu do Azulejo, com uma (13) ______________ (fabuloso) perspetiva (14) __________ (histórico) da evolução do azulejo em Portugal.
Quando vem cá ver (15) ______________ maravilhosa cidade? A Joana está sempre a dizer que pode ficar em casa (16) __________. Tem dois quartos (17) __________ (disponível).
Beijinhos da (18) ______________ filha,

Guida

PS – Cumprimentos aos vossos (19) ______________ (simpático) vizinhos.

Ex.ma Senhora:

D. Ana Fonseca

Rua das Flores, 54

9880-025 Santa Cruz da Graciosa

AÇORES

TEMPOS VERBAIS

PRESENTE DO INDICATIVO

Verbo Chamar-se

SINGULAR	1	Eu	chamo-me	Jorge
	2	Tu	chamas-te	Ana
		(Você)[4]	chama-se	Pedro
		O senhor		Paulo Fernandes
		A senhora		Maria Manuela
	3	Ele		José
		Ela		Luísa
PLURAL	1	Nós	chamamo-nos	Jorge e Fernando
	2	Vocês[5]	chamam-se	Ana e Pedro
		Os senhores		Sousa e Fonseca
		As senhoras		Manuela e Margarida
	3	Eles		Francisco e Manuel
		Elas		Joana e Susana

COMO TE CHAMAS?

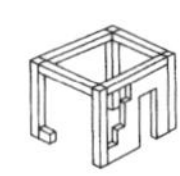

Complete as frases seguintes.

Ex.: Como te____________? (Luísa)

Como te chamas?

1—Como te ____________________? (João)

Chamo-me João. E tu? (Paula)

Eu ____________________ Paula.

2—Tu ____________________ Manuela? (Manuela)

Sim, ____________________. E ela? (Joana)

____________________.

3—Como é que ele ____________________? (José Carlos)

____________________.

E ela? ____________________? (Ana)

____________________.

---

[4] Pronome Pessoal com um emprego complexo. É preferível omitir.

[5] Não incluímos o Pronome Pessoal *vós*, porque se usa apenas em algumas regiões do norte de Portugal e está a desaparecer. O Pronome Pessoal *vocês* é o Plural dos Pronomes Pessoais *tu* e *você*.

4 — Como se ______________________? (João)
Chamo-me João. E o senhor? ______________? (José Fernandes)
Eu ______________________________.

5 — ______________________________ Jorge?
Sim, ______________________________.

6 — Como se chama? (Mariana) ______________________________.
E ela? ______________________________? (Fernanda)
______________________________.

7 — Como é que ela ______________________________? (Maria João)
______________________________.

8 — ______________________________? (Filomena)
Não, ela ______________________________. (Margarida)

9 — Como é que a senhora se chama? (Joana Torres)
______________________________.

10 — ______________________________? (João Vasconcelos)
______________________________.

Verbo SER

S	1	Eu	sou	português
I	2	Tu	és	francês
N		(Você)	é	inglês
G		O senhor		engenheiro
U		A senhora		professora
L	3	Ele		russo
A		Ela		alemã
R				
P	1	Nós	somos	professores
L	2	Vocês	são	estudantes
U		Os senhores		russos
R		As senhoras		empresárias
A	3	Eles		médicos
L		Elas		espanholas

VERBO SER

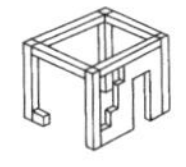

Complete as frases seguintes com as formas adequadas do verbo *ser*.

Ex.: Ele ______________ francês.
Ele é francês.

1 — Tu ______________ português?
Não, eu não ______________ português. Eu ______________ espanhol. E tu?
Eu ______________ francês.

2—A Anne ____________ francesa?
Sim, a Anne ____________ francesa.

3—A senhora ____________ italiana?
Não, eu não ____________ italiana. Eu____________ francesa.

4—O Pierre ____________ francês?
Não. O Pierre ____________ belga.
E a Anne-Marie? Também ____________ belga?
Sim, ________________________. E tu?
________________________ suíço.

5—O João e o António ____________ franceses?
Não. Eles ____________ portugueses.

6—Os senhores ____________ alemães?
Não. Nós ____________ ingleses.

7—Vocês ____________ suíços?
Sim, ____________.

8—Eles ____________ engenheiros?
Sim, ____________.

9—Tu ____________ professor?
Não, ____________ economista.

10—E vocês? ________________________ professores?
Não, não ________________________. Nós ____________ médicos.

Verbo TER

SINGULAR	1	Eu	tenho	um livro
	2	Tu	tens	uma casa
		(Você)	tem	um computador
		O senhor		duas bicicletas
		A senhora		três canetas
	3	Ele		quatro irmãos
		Ela		sete primos
PLURAL	1	Nós	temos	um carro
	2	Vocês	têm	vinte anos
		Os senhores		frio
		As senhoras		calor
	3	Eles		fome
		Elas		sede

VERBO TER

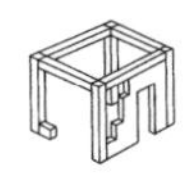

Complete as frases seguintes com as formas adequadas do verbo *ter*.

Ex.: Ele ______________ dez anos.

Ele tem dez anos.

1——Tu ______________ fome?

—Não, não ______________. Eu______________ sede.

2—A Ana ______________doze anos.

3——A senhora ______________ calor?

—Não, não ______________.

4——O Paulo ______________ trinta anos?

—Não. O Paulo ______________ trinta e um.

5——O João e o António ______________ um livro de Inglês?

—Não. Eles ______________ um livro de Francês.

6——Os senhores ______________ o jornal de hoje?

—Não. Nós ______________ o jornal de ontem.

7——Vocês já ______________ o programa do concerto?

—Já, já ______________.

8—Eles ______________ uma casa muito bonita.

9——Tu ______________ frio?

—Não, não ______________.

10——E vocês? ______________ frio?

—Não, também não ______________.

Verbo ESTAR

<table>
<tr><td rowspan="4">S
I
N
G
U
L
A
R</td><td>1</td><td>Eu</td><td>estou</td><td rowspan="4">bem
cansado
contente
no Porto</td></tr>
<tr><td rowspan="2">2</td><td>Tu</td><td>estás</td></tr>
<tr><td>(Você)
O senhor
A senhora</td><td rowspan="2">está</td></tr>
<tr><td>3</td><td>Ele
Ela</td></tr>
<tr><td></td><td></td><td></td><td></td><td></td></tr>
<tr><td rowspan="3">P
L
U
R
A
L</td><td>1</td><td>Nós</td><td>estamos</td><td rowspan="3">em Bragança
em Lisboa
no Porto</td></tr>
<tr><td>2</td><td>Vocês
Os senhores
As senhoras</td><td rowspan="2">estão</td></tr>
<tr><td>3</td><td>Eles
Elas</td></tr>
</table>

VERBO ESTAR

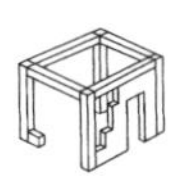

Complete as frases seguintes com as formas adequadas do verbo *estar*.

Ex.: Ele______________ em Aveiro.
Ele está em Aveiro.

1—— Tu ______________ doente?
— Não, não ______________. Eu ______________ um pouco maldisposto.
2— O carro ______________ perto do café.
3—— A senhora ______________ bem?
— Sim, ______________ muito bem. Obrigada.
4—— O Paulo ______________ em casa da mãe?
— Não. O Paulo ______________ em casa da avó.
5—— O João e o António ______________ cá?
— Não. Eles ______________ no estrangeiro.
6—— Os senhores ______________ bem?
— Sim, sim. ______________ muito bem.
7—— Bom dia. Como ______________?
— Eu ______________ bem, obrigado.
8—— Olá! ______________ bom, pá?
— ______________, pá. Então e tu?
— ______________ ótimo!
9—— Tu ______________ com frio?
— Não, não ______________ com frio. ______________ com sono!
10—— Vocês ______________ há muito tempo em Lisboa?
— Não. ______________ em Lisboa só há três anos.

Algumas utilizações do verbo SER

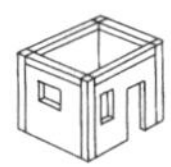

1 — Exprime características que fazem parte da **natureza permanente** da pessoa, tais como: *a profissão, a nacionalidade, características físicas e psicológicas.*

Ex.: O João *é* professor, *é* português, *é* alto e magro e *é* muito inteligente.

2 — Exprime **propriedades permanentes** que definem um ser ou um objeto.

Ex.: Esta pedra *é* de granito.
Este disco *é* muito bom.
Lisboa *é* a capital de Portugal.
A baleia *é* um mamífero.

3 — Exprime as **horas**, as **datas**, os **dias da semana**.

Ex.: *São* dez horas. Hoje *é* dia 5 de fevereiro. Hoje *é* sábado.

4 — Exprime a **localização** de casas ou localidades.

Ex.: A Livraria Liceu *é* ao lado da loja de fotocópias.
A casa de banho *é* ao fundo do corredor.
Aveiro *é* perto do Porto.

Algumas utilizações do verbo ESTAR

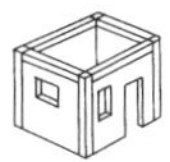

1 — Exprime **estados físicos e psicológicos ocasionais**, que não fazem parte da natureza permanente dos seres e dos objetos.

Ex.: *Estou* com muita sede. / *Estou* com muita fome. / *Estou* cheio de frio.
O Pedro *está* doente. / O Jorge *está* mais gordo. / Hoje o Pedro *está* maldisposto.

2 — Exprime a **localização temporária** de seres e objetos.

Ex.: O carro *está* perto do cinema.
O Pedro *está* em casa da avó.
O gato *está* debaixo da mesa.

3 — Exprime o **tempo atmosférico**.

Ex.: Como *está* o tempo? Está frio. / Hoje *estão* cinco graus.

4 — **Estar a + Infinitivo** — Exprime ações ocasionais que decorrem no momento da fala.

Ex.: (Neste momento) A Ana *está* a estudar. / (Agora) o Jorge *está* a telefonar à mãe.

Algumas utilizações do verbo ESTAR
Mais exemplos

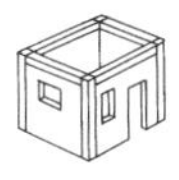

1 — **Estar com (estados físicos e psicológicos)**.

estar com + substantivo

Eu estou O senhor está A senhora está O João está Ele está Ela está Nós estamos Vocês estão Eles estão	com	frio calor sede fome sono dores de cabeça dores de dentes dores de barriga tosse saudades medo

estar + adjetivo

Eu estou O senhor está A senhora está O João está Ele está Ela está Nós estamos Vocês estão Eles estão	cansado triste contente doente maldispostos atentos distraídos

2 — Localização temporária.

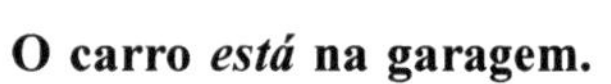

O carro *está* na garagem. **O livro *está* na pasta.** **O João *está* no quarto.**

3 — Estar (tempo atmosférico).

Como está o tempo?

Está	frio quente ventoso bom mau/péssimo enevoado nublado encoberto chuvoso	frio calor vento	a chover a nevar

4 — ESTAR A + INFINITIVO exprime ações ocasionais:

Eu estou a
Tu estás a
(Você) está a
O senhor está a
A senhora está a
Ele está a
Ela está a
Nós estamos a
Vocês estão a
Os senhores estão a
As senhoras estão a
Eles estão a
Elas estão a

tomar o pequeno-almoço
ouvir música
ver televisão
dormir
cozinhar
almoçar/jantar
deitar-se*
pentear-se*
tomar banho
vestir-se*
fazer a barba
jogar as cartas
nadar
fazer ioga
conversar
fazer compras
escrever uma carta
correr
ler
jogar à bola

* (Você)/O senhor/A senhora/Ele/Ela/Vocês/Os senhores/As senhoras/Eles/Elas.

SER e ESTAR I

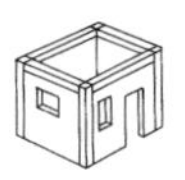

Complete as frases com as formas adequadas dos verbos *ser* e *estar*.

Ex.: O café_______ perto do Hotel D. Afonso Henriques.

O café _é_ perto do Hotel D. Afonso Henriques.

1—O João _______ muito alto.
2—Eles _______ em casa da Joana.
3—O António _______ em Beja.
4—Agora _______ a chover.
5—O meu tio _______ arquiteto.
6—O carro da Ana _______ no parque de estacionamento da Avenida.
7—A filha da Margarida _______ doente.
8—Aveiro _______ uma cidade muito bonita.
9—Luanda _______ a capital de Angola.
10—A casa da Mariana _______ perto da tua casa.

SER e ESTAR II

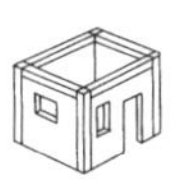

Complete as frases com as formas adequadas dos verbos *ser* e *estar*.

Ex.: O Jorge _______ sobrinho da dra. Fernanda.

O Jorge _é_ sobrinho da dra. Fernanda.

1—Tu _______ mais gordo, não estás?
2—Eles _______ de Viseu.
3—O António _______ de Vila Real.
4—Agora o Manuel _______ a trabalhar no escritório.
5—O meu tio _______ a fazer uma mesa para a minha casa da aldeia.
6—O carro do Paulo _______ muito bonito!
7—A filha do Samuel _______ muito magra. Achas que _______ doente?
8—O Fernando _______ cá em Portugal desde domingo.
9—Évora _______ uma cidade lindíssima.
10—O Nuno e o Pedro _______ irmãos do Tozé.

Algumas utilizações do verbo FICAR

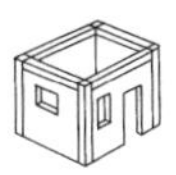

1 — Exprime a **localização permanente** de seres, objetos, casas e localidades.

Ex.: A Cervejaria *fica* ao lado do cinema.
O António *fica* sempre na primeira fila.
A casa dela *fica* atrás do supermercado.
A Costa Nova *fica* perto de Aveiro.

2 — Exprime **permanência, estadia**.

Ex.: Eu *fico* todos os dias no emprego até às oito horas.
Quando vou ao Porto, *fico* no Hotel D. Pedro.

3 — Exprime **consequência, resultado**.

Ex.: *Fico* contente quando os meus filhos têm boas notas.

SER, ESTAR e FICAR I

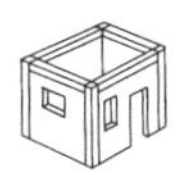

Complete as frases com *ser, estar* e *ficar*.

Ex.: Hoje __________ frio.
Hoje está frio.

1 — Hoje __________ muito calor.
2 — O cinema __________ em frente do hotel.
3 — O Mosteiro dos Jerónimos __________ em Lisboa.
4 — Hoje __________ segunda-feira.
5 — — Onde __________ o teu carro?
— __________ atrás do café Central.
6 — O gato __________ sempre ao lado do aquecedor mas o cão prefere __________ em cima do sofá.
7 — O Jorge __________ dos Açores mas agora __________ a trabalhar em Lisboa.
8 — Quando ele come marisco, __________ sempre maldisposto.
9 — Eu __________ com muita sede. Acho que vou beber qualquer coisa.
10 — Quando vou da Madeira para o Porto Santo de barco, __________ sempre enjoado!

SER, ESTAR e FICAR II

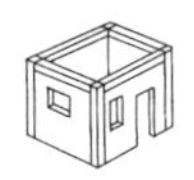

Complete as frases com *ser, estar* e *ficar.*

Ex.: Hoje__________ frio.
Hoje __está__ frio.

1—Hoje __________ imenso frio! Que coisa horrível!
2—Sabes onde __________ a Joana? Preciso de falar com ela.
3——O que é que eles __________ a fazer? Nunca mais vêm almoçar!
—Acho que eles __________ a jogar a bola!
4——O disco __________ na estante?
—Não. __________ dentro da minha pasta.
5—Quando vou ao Brasil, __________ sempre em casa da Mariana.
6—Este computador __________ o melhor que já vi até hoje!
7—— O teu filho já __________ melhor?
—Não. Ainda __________ com febre.
8——Que dia __________ hoje?
—__________ dia 15.
—Não. Eu quero saber que dia da semana __________ hoje?
—Ah, está bem. __________ segunda!
9—Esta saia __________ de seda. __________ muito bonita, não __________?
10—Eu __________ sempre muito triste quando estas coisas acontecem.

Verbo IR

<table>
<tr><td rowspan="6">SINGULAR</td><td>1</td><td>Eu</td><td>vou</td><td rowspan="6">ao cinema
a Lisboa
a Braga
ao Porto</td></tr>
<tr><td rowspan="2">2</td><td>Tu</td><td>vais</td></tr>
<tr><td>(Você)
O senhor
A senhora</td><td rowspan="2">vai</td></tr>
<tr><td>3</td><td>Ele
Ela</td></tr>
<tr><td></td><td></td><td></td></tr>
<tr><td></td><td></td><td></td></tr>
<tr><td rowspan="3">PLURAL</td><td>1</td><td>Nós</td><td>vamos</td><td rowspan="3">jantar
sozinhos
correr</td></tr>
<tr><td>2</td><td>Vocês
Os senhores
As senhoras</td><td rowspan="2">vão</td></tr>
<tr><td>3</td><td>Eles
Elas</td></tr>
</table>

VERBO IR[6]

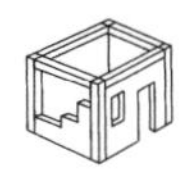

Complete as frases seguintes com as formas adequadas do verbo *ir*, de acordo com o exemplo.

Ex.: A Luísa____________ ao teatro no domingo.

A Luísa _vai_ ao teatro no domingo.

1—Tu ____________ de carro para a Universidade?

2—Nós ____________ logo ao cinema.

3—Elas ____________ sempre ao teatro ao sábado.

4—A Ana ____________ geralmente para a Universidade de manhã bem cedo.

5—O Pedro e o Luís ____________ muitas vezes ao futebol.

6—O senhor ____________ sozinho?

7—As senhoras ____________ logo à festa da d. Angelina.

8—O meu irmão mais novo raramente ____________ ao museu com os filhos.

9—Eu ____________ sempre de bicicleta para a estação.

10—Tu ____________ com a Fernanda ao concerto?

---

[6] Ver Verbo IR com preposições (página 135).

PRESENTE DO INDICATIVO

Verbos regulares

<table>
<tr><th colspan="2" rowspan="2"></th><th>-ar</th><th>-er</th><th>-ir</th></tr>
<tr><th>falar</th><th>comer</th><th>partir</th></tr>
<tr><td rowspan="4">SINGULAR</td><td>Eu</td><td>falo</td><td>como</td><td>parto</td></tr>
<tr><td>Tu</td><td>falas</td><td>comes</td><td>partes</td></tr>
<tr><td>(Você), O senhor, A senhora</td><td rowspan="2">fala</td><td rowspan="2">come</td><td rowspan="2">parte</td></tr>
<tr><td>Ele, Ela</td></tr>
<tr><td rowspan="3">PLURAL</td><td>Nós</td><td>falamos</td><td>comemos</td><td>partimos</td></tr>
<tr><td>Vocês, Os senhores, As senhoras</td><td rowspan="2">falam</td><td rowspan="2">comem</td><td rowspan="2">partem</td></tr>
<tr><td>Eles, Elas</td></tr>
</table>

PRESENTE DO INDICATIVO I

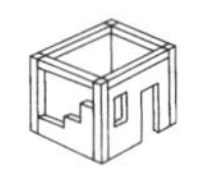

Verbos regulares (-ar)

Complete as frases seguintes com as formas dos verbos entre parênteses, de acordo com o exemplo.

Ex.: A Joana ________________ (brincar) muito com o irmão.

A Joana _*brinca*_ *muito com o irmão.*

1—Eu ________________ (morar) em Lisboa e os meus pais ________________ (morar) no Porto. O meu irmão ________________ (morar) em Aveiro.

2—O Jorge ________________ (trabalhar) em Lisboa. Nós ________________ (trabalhar) em Braga numa empresa de automóveis e o João e a Ana ________________ (trabalhar) em Setúbal numa fábrica de automóveis.

3——Que desportos é que vocês ________________ (praticar)?

—Nós ________________ (praticar) futebol e natação.

4—Eu ______________ (gostar) muito de ouvir música. A minha irmã ________________ (gostar) mais de ler.

5——A Joana ________________ (falar) seis línguas. Eu só ________________ (falar) três. Quantas línguas é que vocês ________________ (falar)?

—Nós ________________ (falar) uma!

6—O Manuel ________________ (estudar) na Faculdade de Letras. Elas ________________ (estudar) na Faculdade de Economia.

7—Vocês ________________ (acabar) tarde?

8—O filme ________________ (começar) às nove e meia.

9—Como é que tu ________________ (ocupar) os tempos livres?

10—A d. Ana ________________-se (deitar-se) sempre às oito horas!

PRESENTE DO INDICATIVO II

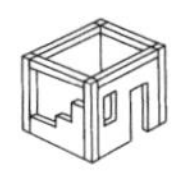

Verbos regulares (-er)

Complete as frases seguintes com as formas dos verbos entre parênteses, de acordo com o exemplo.

Ex.: Eu não__________ (entender) o que está a passar-se!

Eu não entendo o que está a passar-se!

1—Ao almoço, nós __________ (comer) geralmente uma salada.

2—Eles __________ (viver) em Braga e o irmão __________ (viver) em Lisboa.

3—O meu pai nunca __________ (beber) vinho.

4—A Joana __________ (comer) muito mais do que a Manuela.

5—Eu __________ (comer) geralmente pão com manteiga e doce ao pequeno-almoço.

6—Ela __________ (defender) sempre as ideias do Pedro.

7—Vocês __________ (receber) o correio de manhã?

— __________ (receber) sempre.

8—Tu __________ (perceber) o que eu quero dizer?

— __________ (perceber) perfeitamente.

9—Elas __________ (beber) muita água!

10—O senhor __________ (compreender) o que está a acontecer?

PRESENTE DO INDICATIVO III

Verbos regulares (-ir)

Complete as frases seguintes com as formas dos verbos entre parênteses, de acordo com o exemplo.

Ex.: Eles __________ (partir) sempre de manhã cedo.

Eles partem sempre de manhã cedo.

Complete as frases seguintes com as formas dos verbos entre parênteses:

1—Eles __________ (partir) na próxima segunda-feira para Tóquio.

2—Tu nunca __________ (decidir) nada antes de perguntar ao diretor!

3—Eu não __________ (permitir) uma coisa dessas!!!

4—Nós __________ (preferir) o cinema de autor ao cinema de ação.

5—Ela __________ (sentir) que as coisas não estão bem.

6—Ela __________-se (vestir-se) sempre à pressa.

7—Antes de pôr as cortinas, ela __________ (medir) sempre a altura da janela.

8—A d. Manuela __________ (partir) sempre um copo ou um prato quando limpa a louça.

9—Amanhã nós __________ (dormir) em casa da Joana.

10—A Ana __________ (dormir) sempre no quarto azul.

PRESENTE DO INDICATIVO

Verbos irregulares

	eu	tu	(você)/o senhor/ /a senhora, ele/ela	nós	vocês/os senhores/ /as senhoras, eles/elas
DAR	dou	dás	dá	damos	dão
DIZER	digo	dizes	diz	dizemos	dizem
ESTAR	estou	estás	está	estamos	estão
FAZER	faço	fazes	faz	fazemos	fazem
HAVER	———	———	há	———	———
IR	vou	vais	vai	vamos	vão
LER	leio	lês	lê	lemos	leem
PODER	posso	podes	pode	podemos	podem
PÔR	ponho	pões	põe	pomos	põem
QUERER	quero	queres	quer	queremos	querem
RIR	rio	ris	ri	rimos	riem
SABER	sei	sabes	sabe	sabemos	sabem
SAIR	saio	sais	sai	saímos	saem
SER	sou	és	é	somos	são
TER	tenho	tens	tem	temos	têm
TRAZER	trago	trazes	traz	trazemos	trazem
VALER	valho	vales	vale	valemos	valem
VER	vejo	vês	vê	vemos	veem
VIR	venho	vens	vem	vimos	vêm

Verbos com uma ou mais irregularidades

	eu	tu	(você)/o senhor/ /a senhora, ele/ela	nós	vocês/os senhores/ /as senhoras, eles/elas
APARECER	apareço	apareces	aparece	aparecemos	aparecem
CABER	caibo	cabes	cabe	cabemos	cabem
DESPIR	dispo	despes	despe	despimos	despem
DORMIR	durmo	dormes	dorme	dormimos	dormem
FUGIR	fujo	foges	foge	fugimos	fogem
MEDIR	meço	medes	mede	medimos	medem
OUVIR	ouço	ouves	ouve	ouvimos	ouvem
PASSEAR	passeio	passeias	passeia	passeamos	passeiam
PARECER	pareço	pareces	parece	parecemos	parecem
PEDIR	peço	pedes	pede	pedimos	pedem
PREFERIR	prefiro	preferes	prefere	preferimos	preferem
SEGUIR	sigo	segues	segue	seguimos	seguem
SENTIR	sinto	sentes	sente	sentimos	sentem
VESTIR	visto	vestes	veste	vestimos	vestem

Emprego do Presente do Indicativo

O Presente do Indicativo serve para exprimir:

— ações que se realizam no momento da fala.

Ex.: Não *compreendo* o que queres dizer.
O Jorge *está* em casa.

— identificações, caracterizações e definições.

Ex.: Paris *é* a capital da França.
O Jorge *é* muito alto.
O granito *é* uma rocha muito dura.

— ações habituais.

Ex.: *Vou* sempre para o emprego de comboio.
Geralmente *levanto-me* às seis da manhã.
Nunca *saio* de casa antes das nove da manhã.

— ações futuras (neste caso, o verbo deve ser sempre acompanhado de um advérbio de tempo ou de um complemento de tempo).

Ex.: Amanhã *almoço* na cantina.
No domingo, *vamos* a casa da Joana.

PRESENTE DO INDICATIVO IV

Verbos regulares e alguns irregulares

Complete as frases seguintes com as formas dos verbos entre parênteses.

Ex.: Nós ____________ (almoçar) geralmente em casa.
Nós almoçamos geralmente em casa.

1 — Eu __________ (ler) geralmente livros de ficção e de História. O Paulo ___________ (ler) sobretudo livros científicos e, nos tempos livres, ______________ (ler) policiais.

2 — Eles ______________ (morar) em Braga e o irmão ______________ (morar) em Lisboa.

3 — O meu pai ______________ (ter) 70 anos.

4 — A Joana ______________ (correr) muito mais do que a Manuela.

5 — Eu ______________ (comer) geralmente muito pouco à noite.

6 — A Margarida ______________ (fazer) anos no dia 15 de janeiro e eu ______________ (fazer) no dia 16.

7 — Ela ______________ (cantar) num grupo de música tradicional.

8 — Tu ______________ (tocar) algum instrumento? — ______________ (tocar) piano.

9 — Vocês ______________ (ir) à natação? — ______________ (ir).

10 — Eu ______________ (conhecer) o rapaz que está a falar com a Ana.

PRESENTE DO INDICATIVO V

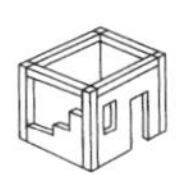

Verbos regulares e irregulares

Complete as frases com as formas dos verbos entre parênteses.

Ex.: No domingo, nós ____________ (ir) ao teatro.
No domingo, nós __vamos__ ao teatro.

1—A Emília ____________ (ver) melhor do que o Zé Manel.

2—Nós nunca ____________ (sair) à noite mas o Hugo e a Fernanda ____________ (sair) todas as noites.

3—Quando nós ____________ (comer) peixe, ____________ (beber) sempre vinho branco.

4—Às vezes, a Ana e o Jorge ____________ (passear) à beira-mar.

5—Às vezes, a Mariana ____________ (trazer) a filha a nossa casa.

6—Sabes se hoje ____________ (haver) reunião?

7—(Tu) ____________ (querer) vir dar uma volta de bicicleta?

8—Eu ____________ (ouvir) sempre um programa de rádio que se chama "As noites do efémero". Tu ____________ (ouvir)?

9—Eu ____________ -me (vestir-se) sempre à pressa.

10— ____________ (parecer) que o Pedro ____________ (chegar) amanhã.

PRESENTE DO INDICATIVO VI

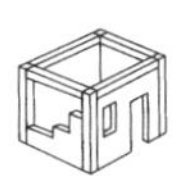

Verbos regulares e irregulares

Eu (1) __chamo-me__ (chamar-se) Hugo Alves e (2) ____________ (ser) português. (3) ____________ (ter) 23 anos e (4) ____________ (ser) estudante de Física na Universidade de Faro. (5) ____________ (viver) em Faro com a minha família. Os meus pais (6) ____________ (ser) ambos funcionários na Universidade. Os meus irmãos, a Sara e o Luís, (7) ____________ (ser) mais novos do que eu. (8) ____________ (ter) respetivamente 15 e 13 anos. Eles ainda não (9) ____________ (saber) que profissão (10) ____________ (querer) ter no futuro.

PRESENTE DO INDICATIVO VII

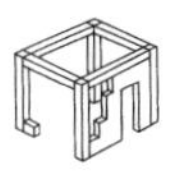

Um dia na vida do Fernando

Escreva frases de acordo com as imagens e as palavras abaixo indicadas sobre o dia a dia do Fernando.

(Nota: Para fazer este exercício, convém consultar o Livro *Vamos lá Começar! Exercícios de Vocabulário*, págs. 44-48.)

1 Geralmente, o Fernando acorda às sete horas.	2	3	4
5	6	7	8
9	10	11	12
13	14	15	16
17	18	19	café com leite pão com manteiga pão com queijo cantina carne ou peixe vinho ou cerveja

PRESENTE DO INDICATIVO VIII

SÓ PARA A AULA

A partir do exercício anterior, escreva um texto com o título: "Um dia na minha vida..."

PRETÉRITO PERFEITO SIMPLES DO INDICATIVO

Verbos regulares

		-ar	-er	-ir
		FALAR	**COMER**	**PARTIR**
S I N G U L A R	eu	falei	comi	parti
	tu	falaste	comeste	partiste
	(você)/O senhor/A senhora Ele/Ela	falou	comeu	partiu
P L U R A L	nós	falámos	comemos	partimos
	vocês/Os senhores/As senhoras Eles/Elas	falaram	comeram	partiram

Verbos irregulares

	eu	tu	(você)/o senhor/ /a senhora, ele/ela	nós	vocês/os senhores/ /as senhoras, eles, elas
DAR	dei	deste	deu	demos	deram
ESTAR	estive	estiveste	esteve	estivemos	estiveram
CABER	coube	coubeste	coube	coubemos	coubemos
DIZER	disse	disseste	disse	dissemos	disseram
FAZER	fiz	fizeste	fez	fizemos	fizeram
HAVER	—	—	houve	—	—
PODER	pude	pudeste	pôde	pudemos	puderam
QUERER	quis	quiseste	quis	quisemos	quiseram
SABER	soube	soubeste	soube	soubemos	souberam
SER	fui	foste	foi	fomos	foram
TER	tive	tiveste	teve	tivemos	tiveram
TRAZER	trouxe	trouxeste	trouxe	trouxemos	trouxeram
VER	vi	viste	viu	vimos	viram
IR	fui	foste	foi	fomos	foram
VIR	vim	vieste	veio	viemos	vieram
PÔR	pus	puseste	pôs	pusemos	puseram

Emprego do Pretérito Perfeito Simples do Indicativo

O Pretérito Perfeito Simples emprega-se para exprimir ações totalmente realizadas, num tempo passado.

Ex.: Ontem **comi** pato assado.
No mês passado **fui** a Paris.

PRETÉRITO PERFEITO SIMPLES I

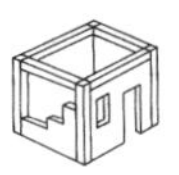

Verbos regulares em -ar

Complete as frases com as formas dos verbos entre parênteses, de acordo com o exemplo.

Ex.: Ontem tu ________ (almoçar) em casa?
Ontem tu almoçaste em casa?

1—Ontem, eu ______________ (jantar) com o Pedro.
2—No domingo passado, eu e a Ana ______________ (passear) juntos à beira-mar.
3—Ontem eu ______________ (almoçar) com a mãe.
4—Há dois anos, eu ______________ (comprar) um carro novo.
5—No domingo a Ana ______________ (jantar) em nossa casa.
6—Nós ______________ (conversar) ontem com a Mariana.
7—No ano passado, eles ______________ (trabalhar) em Londres.
8—Anteontem o Pedro ______________ (almoçar) em casa da Ana.
9—Nós ______________ (gostar) muito de ver o Francisco!
10—A Ana e a Manuela ______________ (estudar) com o Pedro no sábado.

PRETÉRITO PERFEITO SIMPLES II

Verbos regulares em -er

Complete as frases com as formas dos verbos entre parênteses, de acordo com o exemplo.

Ex.: Ontem o Jorge ______________ (escrever) ao diretor?
Ontem o Jorge escreveu ao diretor?

1—Nós ______________ (comer) em casa do Pedro no domingo passado.
2—Ele não ______________ (perceber) nada!
3—No ano passado eu ______________ (viver) em Braga.
4—Nós ______________ (perder) o emprego!
5—Eles ______________ (perceber) muito bem o problema.
6—Vocês já ______________ (ler) este livro?
7—Ele já ______________ (escrever) ao diretor?
8—Eu ______________ (compreender) tudo!
9—Nós ______________ (viver) no Porto oito anos.
10—Tu ______________ (ler) este livro?

PRETÉRITO PERFEITO SIMPLES III

Verbos regulares em -ir

Complete as frases com as formas dos verbos entre parênteses, de acordo com o exemplo.

Ex.: Sabes se elas já ______________ (sair)?
Sabes se elas já saíram?

1—Hoje de manhã o Jorge ______________ (sair) muito cedo.
2—Tu já ______________ (ouvir) este disco?
3—Ontem o nosso cão ______________ (fugir)!
4—A Joaninha ______________ (mentir) ao pai.
5—Nós ______________ (preferir) comer cozido à portuguesa.
6—Eu ______________ (sentir) que alguma coisa estava a acontecer.
7—Nós ______________ (aderir) imediatamente à ideia!
8—Eles ______________ (sair) muito cedo.
9—Nós ______________ (ouvir) o programa todo.
10—Eu ______________ (partir) aquele copo!

PRETÉRITO PERFEITO SIMPLES IV

Verbos regulares

Escolha a forma verbal correta.

Exemplo:
No ano passado, eu (trabalhar) com o Paulo Soares.

trabalho	
trabalhaste	
trabalhei	*X*
trabalhaste	

1—Ontem eu (comer) peixe cozido.

comi	
como	
comeste	
comeu	

2—Hoje de manhã ele (perder) o comboio.

perdi	
perdeste	
perdeu	
perde	

3—Eu (acabar) o trabalho ontem à tarde.

acabou	
acabo	
acabaste	
acabei	

4—Eu (apanhar) o comboio às dez horas.

apanhámos	
apanhei	
apanhaste	
apanhou	

5—Nós (sentir) muito frio ontem à noite.

sentiram	
sentem	
sentimos	
sentiste	

6—Ontem eles (almoçar) cedo.

almoçam	
almoçámos	
almoçaste	
almoçaram	

7—Vocês (estudar) Física em casa da Manuela na segunda-feira?

estudamos	
estudou	
estudámos	
estudaram	

8—Ontem ele (beber) muito na festa da Helena.

bebi	
bebeste	
bebe	
bebeu	

9—Tu (comer) pato assado em casa da Joana?

comi	
comeu	
comeste	
como	

10—O senhor já (marcar) a entrevista?

marcaste	
marquei	
marcou	
marca	

PRETÉRITO PERFEITO SIMPLES V

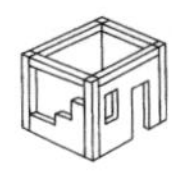

Verbos irregulares

Complete as frases com as formas dos verbos entre parênteses.

Exemplo:

Ontem, eu (estar) com o Luís Andrade.

estou	
estiveste	
estive	***X***
fui	

1—No domingo passado, eu e o Pedro (dar) um belo passeio de bicicleta.

demos	
deram	
damos	
deu	

2—No ano passado, eu (ver) vários filmes do Manoel de Oliveira.

vejo	
vimos	
vi	
viste	

3—Hoje de manhã, o Pedro e a Ana (querer) tomar o pequeno-almoço na cama.

querem	
quiseste	
quiseram	
queres	

4—Ontem, nós (ver) a tua mãe.

vemos	
vimos	
viemos	
viram	

5—Eles (dar) uma prenda magnífica à Joana!

deram	
deste	
demos	
dão	

6—Tu (ver) o Pedro no cinema?

vês	
viste	
viram	
vi	

7—Eles já (ver) esse filme?

vieram	
viram	
viu	
vimos	

8—Eles (ir) ontem ao cinema.

fomos	
foram	
vamos	
foi	

9—Eu já (saber) que o Pedro (ter) um acidente.

souberam		teve	
soube		tive	
soubeste		tiveste	
soubemos		tem	

10—No mês passado, nós (pôr) um anúncio no jornal.

pomos	
puseram	
pus	
pusemos	

PRETÉRITO PERFEITO SIMPLES VI

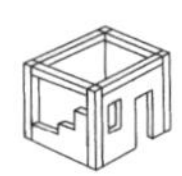

Verbos regulares e irregulares

Complete as frases seguintes com as formas dos verbos entre parênteses, de acordo com o exemplo.

Ex.: Ontem eles ______________ (estar) em casa da avó.

Ontem eles estiveram em casa da avó.

1—Ontem à noite eu ______________ (ir) buscar o Nuno ao aeroporto.

2—Na sexta-feira, o Zé e a Joana ______________ (passear) no Parque. ______________ (aparecer) lá o Pedro. Eles ______________ (dar) um belo passeio até à hora de jantar.

3—No domingo, os meus pais ____________ (vir) almoçar a minha casa. ____________ (trazer) o Jorginho.

4—Hoje eu não ____________ (fazer) a cama antes de sair de casa porque ____________ (acordar) muito tarde e não ____________ (ter) tempo de a fazer.

5—Quantos feridos ____________ (haver) no acidente?

6—Hoje de manhã a Ana ____________ (vestir-se) à pressa, porque ____________ (ter) de sair muito cedo. Até ____________ (pôr) a camisola ao contrário!

7—Ele não ____________ (querer) saber o que se passou!

8—O Pedro já ____________ (ler) o livro que eu lhe ____________ (emprestar).

9—Ontem eu ____________ (ver) um filme muito bom!

10—Na semana passada nós ____________ (estar) com a Joana Soares.

PRETÉRITO PERFEITO SIMPLES VII

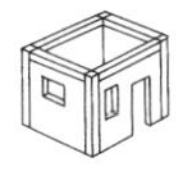

Escreva as legendas das imagens.

Ontem, a Luísa ...

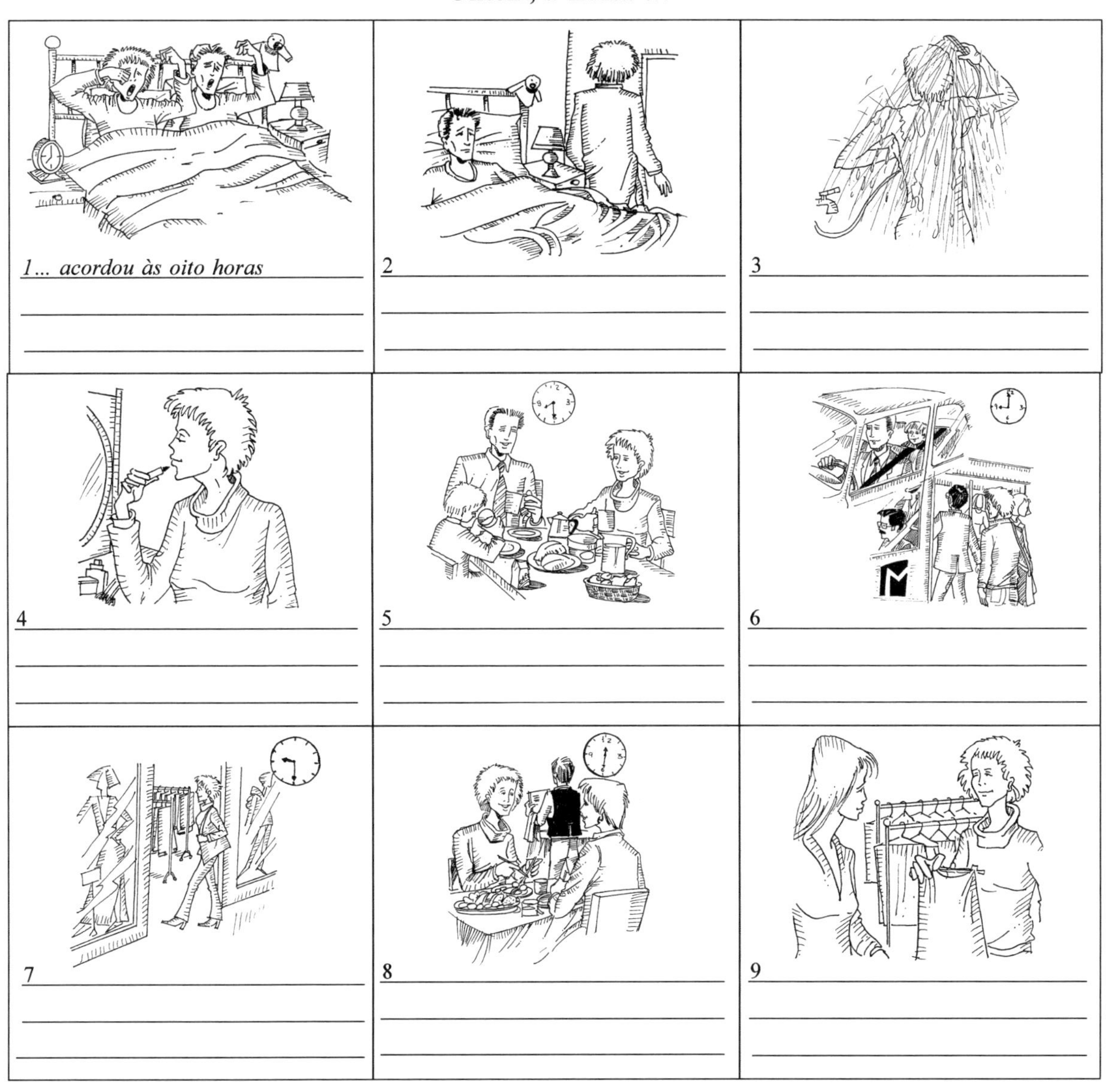

10
11
12
13
14
Olá
como está?
15
16
JOÃO
17
18
19
20
21
22
23

PRETÉRITO PERFEITO SIMPLES VIII

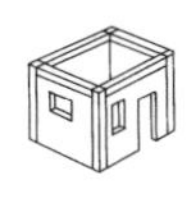

SÓ PARA A AULA

A partir do exercício anterior, escreva um texto com o título: "O meu dia de ontem".

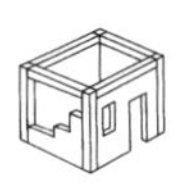

Assinale com uma cruz a resposta certa.

Ex.: Hoje eu (estar) com o Jorge. Ontem, (estar) com a Ana.

está	
estive	
estou	*X*
estás	

estive	*X*
esteve	
estou	
estiveste	

1—Hoje (ser) segunda-feira. Ontem (ser) domingo.

foi	
sou	
é	
está	

é	
fui	
foi	
sou	

2—Ontem nós (ir) jantar a casa do Paulo mas hoje (ir) jantar a casa da Ana.

vamos	
fomos	
vão	
vimos	

vamos	
fomos	
foram	
vimos	

3—No ano passado, ele (estar) a passar férias no Algarve. Este ano (estar) no Minho.

está	
estava	
estive	
esteve	

está	
estou	
estive	
estás	

4—O Luís (vir) cá na semana passada. Esta semana (ir) a Lisboa.

vim	
vem	
veio	
foi	

veio	
vai	
vou	
fui	

5—Há dois anos nós (dar) um concerto em Praga. Este ano não (dar).

damos	
demos	
deram	
davam	

demos	
damos	
dão	
dou	

6—Agora eu (viver) em Aveiro mas já (viver) no Porto.

vivi	
vivo	
viva	
viveu	

vivi	
viveste	
viveu	
vivo	

7—Nós já (ter) um Wolkswagen mas agora (ter) um Nissan.

temos	
tivemos	
tiveram	
tiveste	

tivemos	
têm	
tem	
temos	

8—Eu já (ler) muito mais do que (ler) agora.

leio	
li	
leu	
leste	

li	
leio	
lê	
lemos	

9—O Jean-Pierre e a Anne (vir) a Portugal no ano passado. O David (vir) este ano.

vêm	
vimos	
vieram	
veem	

vem	
vens	
venho	
vêm	

10—No passado fim de semana, nós (ter) muita sorte com o tempo.

temos	
tiveste	
tivemos	
tiveram	

PRESENTE DO INDICATIVO/PRETÉRITO PERFEITO SIMPLES II

Complete as frases com a forma adequada do verbo entre parênteses.

Ex.: No domingo tu ____________ (ver) o Luís?
No domingo tu viste o Luís?

1—Ontem eles ____________ (ter) uma pequena surpresa.
2—Hoje à noite nós não ____________ (ter) tempo de ir ao cinema.
3—Eu ____________ (ir) logo à tarde ao supermercado. A Joana ____________ (ir) ontem.
4—O Manuel ____________ (ver) o filme ontem mas eu ____________ (ver) hoje à noite.
5—O Hugo ____________ (vir) a nossa casa no mês passado.
6—Ontem eu ____________ (telefonar) ao Pedro.
7—No fim de semana passado, eles ____________ (vir) a nossa casa e ____________ (trazer)-nos um vinho do Douro ótimo!
8—Os senhores ____________ (ser) sempre muito simpáticos mas desta vez ____________ -se (exceder-se)!
9—Ontem à noite, tu ____________ (estar) com a Mariana? Eu ____________ (estar) com ela hoje à tarde.
10—Ela ____________ (perceber) o que eu ____________ (dizer)?

PRESENTE DO INDICATIVO/PRETÉRITO PERFEITO SIMPLES III

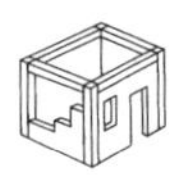

Complete as frases com as formas adequadas dos verbos entre parênteses.

Ex.: Nós ______________ (estudar) geralmente em casa mas ontem ______________ (estudar) na biblioteca.

Nós estudamos (estudar) geralmente em casa mas ontem estudámos (estudar) na biblioteca.

1—Ontem nós __________ (ir) ao cinema com a Joana. Geralmente ____________ (ir) sozinhos.

2—No domingo passado eu ______________ (sair) de casa muito cedo e ______________ (ir) dar um passeio.

3—Ontem, o teste de Inglês ______________ (ser) muito difícil.

4—Ontem o Pedro ______________ (comprar) uns sapatos. ______________ (ser) caríssimos!

5—Na terça-feira eles ______________ (ir) a casa da Manuela.

6—No ano passado eu ______________ (ver) mais filmes do que este ano.

7—No sábado tu ______________ (ir) ao futebol? Eu ______________ (ir) com o Pedro e não te ______________ (ver) lá. Ele ______________ (ficar) admirado.

8—Vocês nunca ______________ (ler) este livro?

9—Os senhores nunca ______________ (ir) à INFORPOR? Eu ______________ (ir) todos os anos.

10—A senhora já ______________ (ler) o livro do Saramago?

PRESENTE DO INDICATIVO/PRETÉRITO PERFEITO SIMPLES IV

Complete este texto com as formas adequadas dos verbos entre parênteses.

O João (1) ***vai*** (ir) sempre para o emprego às oito horas. Ontem (2) ______________ -se (atrasar-se) um pouco e, por isso, (3) ______________ (ter) de correr imenso para apanhar o metro. Ele (4) ______________ (trabalhar) nas Finanças e ontem (5 ______________ (estar) a receber as declarações de impostos. (6 ______________ (atender) mais de duzentas pessoas! Depois de acabar o serviço, (7 ______________ (sair) e (8 ______________ (ir) ao café onde se (9 ______________ (encontrar) com alguns amigos. (10 ______________ (beber) uma cerveja e (11 ______________ (falar) com eles sobre cinema e futebol. Depois, por volta das sete, (12 ______________ (voltar) para casa, (13 ______________ (fazer) o jantar, (14 ______________ (ver) o telejornal, (ler) um pouco e depois (15 ______________ (deitar)-se.

PRETÉRITO IMPERFEITO DO INDICATIVO

Verbos regulares

		-ar	-er	-ir
		CANTAR	**CORRER**	**PARTIR**
SINGULAR	Eu	cantava	corria	partia
	Tu	cantavas	corrias	partias
	(Você), O senhor, A senhora Ele, Ela	cantava	corria	partia
PLURAL	Nós	cantávamos	corríamos	partíamos
	Vocês, Os senhores, As senhoras Eles, Elas	cantavam	corriam	partiam

Verbos irregulares

	eu	tu	(você)/o senhor/ /a senhora, ele/ela	nós	vocês/os senhores/ /as senhoras, eles, elas
SER	era	eras	era	éramos	eram
PÔR	punha	punhas	punha	púnhamos	punham
TER	tinha	tinhas	tinha	tínhamos	tinham
VIR	vinha	vinhas	vinha	vínhamos	vinham
SAIR	saía	saías	saía	saíamos	saíam

Emprego do Pretérito Imperfeito do Indicativo

A — O Pretérito Imperfeito do Indicativo expressa ações realizadas no passado, mas não concluídas. Tem um valor durativo.

1 — Descreve recordações de uma época passada.

Ex.: Naquela época eles **brincavam** no parque, **tomavam** banho na piscina e **liam** muitas histórias.

2 — Descreve uma ação passada repetida ou habitual.

Ex.: Dantes eu **jogava** voleibol na escola com os meus amigos.

3 — Descreve factos passados, contínuos ou permanentes.

Ex.: A janela **dava** para um jardim que tinha muitas flores.

4 — Apresenta um facto geral que pode opor-se ao presente.

Ex.: Em 1959 um bilhete de metro **custava** 1 cêntimo. Agora custa 1,05 euros.

Nota: Nos casos 1, 2 e 4 o Pretérito Imperfeito pode ser acompanhado pelas seguintes palavras e expressões:

antigamente; dantes; antes; em tempos; no meu tempo; naquele tempo; naquela época; todos os dias; todas as semanas; todos os meses, etc.

5—Duas ações simultâneas, uma das quais é interrompida (Pretérito Imperfeito) por outra (Pretérito Perfeito).

Ex.: Eu **estava** a jantar quando ouvi a explosão.

B—**1**—O Pretérito Imperfeito pode substituir o Condicional, na linguagem coloquial, para atenuar a expressão de um desejo. Neste caso, o grau de cortesia é menor.

Ex.: Eu **gostava** de te pedir um favor.

2—O Pretérito Imperfeito pode substituir o Presente do Indicativo para exprimir um pedido. Neste caso, o grau de cortesia é maior.

Ex.: **Queria** um café e um pastel de nata, se faz favor.

PRETÉRITO IMPERFEITO DO INDICATIVO

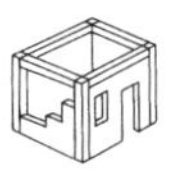

Complete as frases com as formas adequadas dos verbos entre parênteses, de acordo com o exemplo.

Ex.: Antigamente, eu ______________ (ir) muito à praia.

Antigamente, eu ia muito à praia.

1—Dantes o meu irmão ______________ (jogar) futebol com os amigos.

2—Antigamente, eu ______________ (vir) sempre para casa cedo.

3—Quando eu ______________ (morar) nesta casa, ela não ______________ (ter) uma buganvília na fachada.

4—Quando tu ______________ (ser) pequeno, ______________ (fazer) sempre muito barulho quando ______________ (estar) a comer!

5—No meu tempo, nós ______________ (andar) de calções.

6—Quando eles ______________ (ser) casados, ______________ (costumar) dar um grande passeio ao fim de semana.

7—Em 1974, um bilhete de cinema ______________ (custar) dois cêntimos!

8—Antigamente, as mulheres que ______________ (usar) calças, ______________ (ser) consideradas muito avançadas.

9—Quando ele ______________ (chegar) a casa, ______________ (pôr) sempre o casaco no bengaleiro, mesmo à entrada de casa.

10—Dantes, a minha mãe ______________ (sair) sempre mais cedo do que o meu pai.

PRESENTE DO INDICATIVO/PRETÉRITO IMPERFEITO

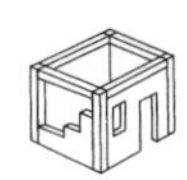

Transforme as frases seguintes de acordo com o exemplo.

Ex.: Agora eles jogam futebol. (andebol)
Dantes jogavam andebol.

1—Esta semana, o Pedro está a trabalhar em casa. (semana passada/empresa)

____

2—Este ano eles dão muitos passeios na praia. (ano passado/campo)

____

3—Atualmente, o Jorge toca guitarra elétrica num grupo *rock*. (dantes/bateria)

____

4—Agora a Ana quer ir viver para a aldeia. (ano passado/cidade)

____

5—O eng. Flores tem muitos carros (dantes/um)

____

6—A Joana vem sempre para casa a pé. (dantes/carro)

____

7—Agora, o tio Fernando põe sempre o carro na garagem. (dantes/rua)

____

8—A Alice sai sempre de casa às oito. (antigamente/8h30)

____

9—Agora os meus avós comem sempre em nossa casa. (dantes/casa deles)

____

10—Atualmente o desemprego é de aproximadamente 7%. (há 20 anos/2%)

____

PRESENTE DO INDICATIVO/PRETÉRITO IMPERFEITO/ /PRETÉRITO PERFEITO I

Complete as frases com as formas adequadas dos verbos entre parênteses.

Ex.: Dantes, nós ______________ (jantar) sempre em casa. Agora ______________ (jantar) muitas vezes no restaurante.
Dantes, nós jantávamos sempre em casa. Agora jantamos muitas vezes no restaurante.

1—Antigamente, eu ______________ (ir) para Espinho passar férias. Agora ______________ (ir) para a Praia da Tocha. ______________ (ser) mais calma do que a de Espinho.

2—No ano passado eu não ______________ (almoçar) habitualmente em casa. Este ano ______________ (almoçar).

3—No ano passado, sempre que eles cá ______________ (vir) ao fim de semana, ______________ (dar) um passeio pelos campos.

4—Dantes, o João __________ (fazer) muitas noitadas no escritório. Agora, __________ (ir) cedo para casa.

5—Ontem eu ____________ (emprestar) à Ana um livro de que (eu) ____________ (gostar) imenso.

6—No ano passado eu ____________-me (sentir-se) muito melhor aqui do que agora. Ainda não ____________ (perceber) bem porquê.

7—O Pedro Barreiros ____________ (ser) o nosso professor de natação no ano passado. ____________ (ser) muito simpático. Ele agora já não ____________ (ser) professor de natação.

8—No ano passado o Pedro e a Joaninha ____________ (costumar) ir muito ao teatro mas este ano ____________ (ir) pouquíssimo.

9—Ontem à noite eu ____________ (estar) com dores de garganta e a Fernanda também ____________ (estar) maldisposta.

10—Nós ____________ (estar) na Sicília no verão passado quando a Joana ____________ (ter) o bebé.

PRESENTE DO INDICATIVO/PRETÉRITO IMPERFEITO/ /PRETÉRITO PERFEITO II

A—Complete as frases com as <u>formas dos verbos</u> entre parênteses.

Ex.: Dantes nós __________ (jogar) a bola na rua. Agora __________ (jogar) no ginásio.

Dantes nós <u>jogávamos</u> (jogar) a bola na rua. Agora <u>jogamos</u> (jogar) no ginásio.

1—No ano passado, o Pedro ____________ (estar) muito doente. Este ano ____________ (andar) melhor.

2—A Mariana disse-me que vocês ____________ (dar) um belo passeio ontem à tarde. Eu ____________ (ficar) todo o dia em casa mas não ____________ (estar) arrependido.

3—No fim de semana passado, o Paulo ____________ (vir) cá a casa.

4—Dantes o João ____________ (estar) sempre a ler. Agora ____________ (passar) a vida a ver televisão.

5—Ontem eu __________ (ler) um livro que me ____________ (impressionar) imenso!

6—Dantes eu não me ____________ (sentir-se) tão bem como me ____________ (sentir-se) agora.

7—Anteontem nós __________ (ver) o Jorge Lopes. ____________ (continuar) na mesma.

8—Antigamente nós ____________________ (costumar) ir a casa do Luís mas agora já não ________ (ir).

9—Antigamente eu ____________ (dar) imensos passeios no campo. Agora, já não ____________ (dar).

10—Nós ____________ (vir) muito calmamente pela rua quando o carro ____________ (surgir) de repente.

PARTICÍPIO PASSADO

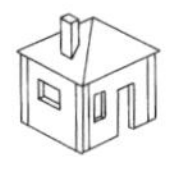

Verbos regulares

-ar	-er	-ir
CANTAR	**COMER**	**PARTIR**
cantado	comido	partido

Verbos irregulares

DIZER	dito
ESCREVER	escrito
FAZER	feito
GANHAR	ganho
GASTAR	gasto
PÔR	posto
VER	visto
VIR	vindo

Particípios passados duplos

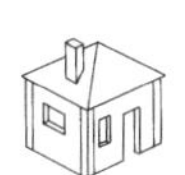

Em Português há alguns verbos que têm particípios passados duplos: uma forma regular e outra irregular. Usa-se a **forma regular** com o verbo auxiliar **ter**. Usa-se a **forma irregular** com os verbos auxiliares **ser**, **estar** e **ficar**.

VERBOS	PARTICÍPIO PASSADO REGULAR	PARTICÍPIO PASSADO IRREGULAR
ACEITAR	aceitado	aceite
ACENDER	acendido	aceso
ELEGER	elegido	eleito
EMERGIR	emergido	emerso
ENTREGAR	entregado	entregue
ENVOLVER	envolvido	envolto
ENXUGAR	enxugado	enxuto
EXPRESSAR	expressado	expresso
EXPRIMIR	exprimido	expresso
EXPULSAR	expulsado	expulso
EXTINGUIR	extinguido	extinto
MATAR	matado	morto
MORRER	morrido	morto
PRENDER	prendido	preso
SECAR	secado	seco

Emprego do Particípio Passado

O Particípio Passado tem três funções:

1—Como elemento de uma forma verbal ativa, quando o verbo é conjugado com o verbo *ter*. Neste caso é invariável.

Ex.: A canção que ele *tinha cantado* é lindíssima.

2—Como elemento de uma forma verbal passiva, quando o verbo é conjugado com os auxiliares *ser, estar* e *ficar.* Neste caso é variável e concorda com o sujeito.

Ex.: A canção *foi cantada* pela Teresa Salgueiro.
A roupa *está seca.*
O bolo *ficou feito* ontem à noite.

3—Como adjetivo, que pode eventualmente ser substantivado.

Ex.: O *preso* saiu ontem da cadeia.

PRETÉRITO PERFEITO COMPOSTO

O **Pretérito Perfeito Composto** exprime uma ação realizada no passado que se repete ou que dura até ao presente. Constrói-se com o Presente do Indicativo do verbo *ter* e o Particípio Passado do verbo principal. No Pretérito Perfeito Composto, o Particípio Passado é invariável.

Pode ser acompanhado por advérbios e expressões de tempo como: *ultimamente, nos últimos tempos, este ano, este mês, esta semana.*

Ex.: Ultimamente eu *tenho ido* muito ao cinema.
Nos últimos tempos a Joana *tem andado* adoentada.
Esta semana nós *temos ficado* em casa à noite.
Este mês eles *têm vindo* a nossa casa muitas vezes.
Este ano, a Mariana *tem estudado* muito menos do que no ano passado.
O avô *tem estado* engripado (nos últimos tempos).
—Como *tem passado*?—Muito bem, obrigado.
—*Tens visto* o Paulo?—Não, não o *tenho visto* (nos últimos tempos).

PRETÉRITO PERFEITO COMPOSTO

Transforme estas frases de acordo com o exemplo.

Ex.: Na semana passada almocei todos os dias em casa. (minha mãe)
Esta semana tenho almoçado em casa da minha mãe.

1—Na semana passada, estudei na biblioteca. (casa)

2 — Dantes passávamos as férias na praia. (últimos anos/campo)

____

3 — No mês passado a Ana saiu todas as noites. (ficar em casa)

____

4 — No ano passado tu foste muitas vezes a casa da avó. (não)

____

5 — Ontem estive todo o dia fora de casa. (casa)

____

6 — No verão passado a Joana foi todos os dias à praia. (passear no campo)

____

7 — No ano passado eles trabalharam muito. (pouco)

____

8 — Na semana passada ficámos todos os dias em casa. (sair)

____

9 — Na semana passada a Rita e o Pedro vieram a nossa casa quase todas as noites. (ficar em casa)

____

10 — No ano passado fiz muitos trabalhos para o teu tio. (poucos)

____

PRETÉRITO PERFEITO SIMPLES/PRETÉRITO PERFEITO COMPOSTO I

Escolha a forma verbal adequada.

Ex.: Ontem eu ______________ (estar) com o Luís Carlos.

estive	*X*
tenho estado	

1 — Anteontem, a mãe (ir) ao médico.

foi	
tem ido	

2 — Nos últimos tempos, (ver) pouco o João.

vimos	
temos visto	

3 — Na semana passada, a Francisca (estar) com a avó.

esteve	
tem estado	

4 — No ano passado, nós (passear) muitas vezes com a Joana.

passeámos	
temos passeado	

5—Esta semana, o Pedro (faltar) às aulas.

faltou ☐
tem faltado ☐

6—Este ano, eles (ter) notas ótimas.

tiveram ☐
têm tido ☐

7—No passado fim de semana, o tio Alfredo e a tia Amélia (vir) visitar-nos.

vieram ☐
têm vindo ☐

8—A Margarida já (entregar) o trabalho.

entregou ☐
tem entregado ☐

9—Nunca (estar) tão bem como agora!

estivemos ☐
temos estado ☐

10—Não (ver) o Jorge nos últimos tempos.

vi ☐
tenho visto ☐

PRETÉRITO PERFEITO SIMPLES/PRETÉRITO PERFEITO COMPOSTO II

Complete as frases com as formas verbais adequadas.

Ex.: Ontem eu ______________ (jantar) com o Paulo.
Ontem eu jantei com o Paulo.

1—Nos últimos tempos, a Manuela não ______________ (vir) a nossa casa.
2—Ultimamente, nós ______________ (trabalhar) muito!
3—Ontem, o avô ______________ (sentir)-se mal.
4—No domingo passado, a Luisinha ______________ (ir) sair com o Mário.
5—Esta semana, o professor ______________ (dar) muitos trabalhos de casa!
6—No ano passado, as minhas irmãs ______________ (ir) trabalhar nas férias para França.
7—No ano passado eu não ______________ (sair) de Portugal.
8—Este mês nós ______________ (ver) a Carla muitas vezes.
9—Sabes se o Hugo já ______________ (fazer) o trabalho?
10—Eles ______________ (insistir) muito com a Helena para ela vir para cá mas ela ainda não ______________ (decidir) nada.

PRETÉRITO MAIS-QUE-PERFEITO

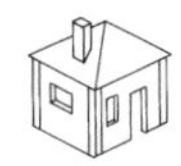

O **Pretérito mais-que-perfeito** exprime uma ação que ocorreu antes de outra ação já passada. Tem duas formas: o **Pretérito mais-que-perfeito composto**, usado na linguagem corrente, e o **Pretérito mais-que-perfeito simples**, usado na linguagem cuidada.

Ex.: A vida *tinha-se tornado* insuportável. (=A vida *tornara-se* insuportável.)

Pretérito Mais-que-Perfeito Composto

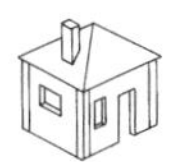

O **Pretérito Mais-que-Perfeito Composto** constrói-se com o Pretérito Imperfeito do Indicativo do verbo *ter* e o Particípio Passado do verbo principal. O Particípio Passado é invariável.

Ex.: Quando cheguei a casa, o avô já *tinha saído.*
Estávamos em Inglaterra quando soubemos que a mãe da Joana *tinha ido* para o hospital.
O Joaquim *tinha acabado* de telefonar quando entrámos em casa.
O pai sabia que o filho do sr. Nunes já *tinha trazido* a encomenda.
A mãe perguntou à Joana se ele já *tinha escrito* a carta aos avós.

Pretérito Mais-que-Perfeito Simples

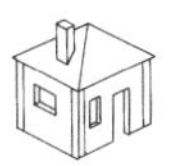

Verbos regulares

<table>
<tr><td colspan="2" rowspan="2"></td><td>-ar</td><td>-er</td><td>-ir</td></tr>
<tr><td>falar</td><td>comer</td><td>partir</td></tr>
<tr><td rowspan="4">SINGULAR</td><td>Eu</td><td>falara</td><td>comera</td><td>partira</td></tr>
<tr><td>Tu</td><td>falaras</td><td>comeras</td><td>partiras</td></tr>
<tr><td>Você/O senhor/A senhora</td><td rowspan="2">falara</td><td rowspan="2">comera</td><td rowspan="2">partira</td></tr>
<tr><td>Ele/Ela</td></tr>
<tr><td></td><td></td><td></td><td></td><td></td></tr>
<tr><td rowspan="3">PLURAL</td><td>Nós</td><td>faláramos</td><td>comêramos</td><td>partíramos</td></tr>
<tr><td>Vocês/Os senhores/As senhoras</td><td rowspan="2">falaram *</td><td rowspan="2">comeram *</td><td rowspan="2">partiram *</td></tr>
<tr><td>Eles/Elas</td></tr>
</table>

*Para não serem confundidas com as formas correspondentes do Pretérito Perfeito Simples, estas formas são substituídas pelas formas correspondentes do Pretérito Mais-que-Perfeito Composto.

Ex.: Quando a Ana chegou, eles já *tinham saído.*

Pretérito Mais-que-Perfeito Simples

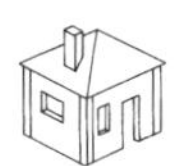

Verbos irregulares

	eu	tu	(você)/o senhor/ /a senhora, ele/ela	nós	vocês/os senhores/ /as senhoras, eles, elas
CABER	coubera	couberas	coubera	coubéramos	couberam
DAR	dera	deras	dera	déramos	deram
DIZER	dissera	disseras	dissera	disséramos	disseram
ESTAR	estivera	estiveras	estivera	estivéramos	estiveram
FAZER	fizera	fizeras	fizera	fizéramos	fizeram
HAVER	—	—	houvera	—	—
IR	fora	foras	fora	fôramos	foram
PODER	pudera	puderas	pudera	pudéramos	puderam
PÔR	pusera	puseras	pusera	puséramos	puseram
QUERER	quisera	quiseras	quisera	quiséramos	quiseram
SABER	soubera	souberas	soubera	soubéramos	souberam
SER	fora	foras	fora	fôramos	foram
TER	tivera	tiveras	tivera	tivéramos	tiveram
TRAZER	trouxera	trouxeras	trouxera	trouxéramos	trouxeram
VER	vira	viras	vira	víramos	viram
VIR	viera	vieras	viera	viéramos	vieram

PRETÉRITO PERFEITO SIMPLES/ /PRETÉRITO MAIS-QUE-PERFEITO COMPOSTO

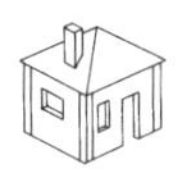

Escolha a forma verbal adequada.

Quando o Pedro ***entrou*** (entrar) em casa naquela tarde, (1) ____________ (poder) aperceber-se do que (2) ____________ (acontecer). A televisão e a aparelhagem sonora (3) ____________ (desaparecer).

(4) ____________ (assaltar) a casa. Os ladrões (5) ____________ (entrar) pela cozinha e, para isso, (6) ____________ (forçar) a porta das traseiras. Ele (7) ____________ (parar) para pensar e, ao fim de dois minutos, (8) ____________ (telefonar) para a polícia que (9) ____________ (chegar) pouco tempo depois. Afinal, além da televisão e da aparelhagem, não (10) ____________ (roubar) mais nada...

PRETÉRITO PERFEITO SIMPLES/PRETÉRITO PERFEITO COMPOSTO/PRETÉRITO MAIS-QUE-PERFEITO

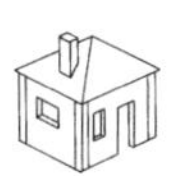

Escolha a forma verbal adequada.

Ex.: Quando eu (chegar) à escola, o dr. Soares já (sair).

entraste	
cheguei	*X*
tinha entrado	

tinha saído	*X*
tem saído	
saiu	

1—Esta semana (ter) muitas reuniões mas na semana passada, (ter) poucas.

tivéramos	
temos tido	
tínhamos tido	

temos tido	
tivemos	
temos	

2—No ano passado (ir) poucas vezes à praia. Este verão (ir) muitas.

temos ido	
temos vindo	
fomos	

temos ido	
tínhamos ido	
fôramos	

3—A Ana já (começar) a estudar quando o Pedro (chegar) à biblioteca.

começou	
tem começado	
tinha começado	

tinha chegado	
chegara	
chegou	

4—Nós nunca (perder) tanto dinheiro como (perder) no ano passado!

perderam	
temos perdido	
tínhamos perdido	

tínhamos perdido	
temos perdido	
perdemos	

5—Ele já (adormecer) há muito tempo quando a filha (entrar) em casa.

adormeceu	
tinha adormecido	
tem adormecido	

entrara	
entrou	
tem entrado	

6—Nós (percebemos) logo o que ele (fazer) pouco tempo antes!

percebemos	
temos percebido	
tínhamos percebido	

tem feito	
tinha feito	
fez	

7—Este mês, eles (faltar) às aulas mas já no mês passado (faltar) muito!

faltaram	
têm faltado	
tinham faltado	

tinham faltado	
têm faltado	
faltáramos	

8—Mal ele (acender) a luz, (aperceber)-se do que (acontecer).

acendera	
acendeu	
tem acendido	

apercebera-se	
tem-se apercebido	
apercebeu-se	

tem acontecido	
tinha acontecido	
aconteceu	

9—Logo que a Susana (apresentar) o caso, várias pessoas lhe (perguntar) por que razão as coisas se (passar) daquela maneira.

apresentou	
tinha apresentado	
tem apresentado	

têm perguntado	
tinham perguntado	
perguntaram	

tinham passado	
têm passado	
passavam	

10—Este ano eu (ir) a muitas conferências. No ano passado, não (ir) a nenhuma.

tem ido	
tenho ido	
tinha ido	

fui	
foste	
tenho ido	

PRETÉRITO MAIS-QUE-PERFEITO SIMPLES

Passe para o Pretérito Mais-que-Perfeito Simples as formas verbais sublinhadas.

Ex.: Ele já tinha começado a fazer o discurso quando chegou o vice-reitor.
Ele já começara a fazer o discurso quando chegou o vice-reitor.

1—O presidente já tinha avisado dos perigos desta situação.

____

2—O Governo já tinha sido avisado de que esta situação poderia ocorrer.

____

3—Nós já tínhamos dito aos portugueses que era necessário prepararem-se para esta situação.

____

4—A Europa não tinha posto quaisquer limites à exportação de carne de vaca.

____

5—O Ministro da Educação já tinha feito o aviso mas os estudantes não o ouviram.

____

FUTURO SIMPLES DO INDICATIVO

Verbos regulares

		-ar	-er	-ir
		FALAR	**COMER**	**PARTIR**
S I N G U L A R	Eu	falarei	comerei	partirei
	Tu	falarás	comerás	partirás
	(Você)/O senhor/A senhora Ele/Ela	falará	comerá	partirá
P L U R A L	Nós	falaremos	comeremos	partiremos
	Vocês/Os senhores/As senhoras Eles/Elas	falarão	comerão	partirão

Verbos irregulares

	eu	tu	(você)/o senhor/ /a senhora, ele/ela	nós	vocês/os senhores/ /as senhoras, eles/elas
DIZER	direi	dirás	dirá	diremos	dirão
FAZER	farei	farás	fará	faremos	farão
TRAZER	trarei	trarás	trará	traremos	trarão
PÔR	porei	porás	porá	poremos	porão

Expressão do Futuro

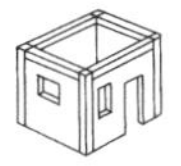

Há várias formas de exprimir o futuro em português.

1 — IR + INFINITIVO
Quando queremos exprimir a intenção de realizar uma **ação próxima**. Neste caso, não é obrigatório utilizar um advérbio de tempo.

Ex.: *Vou almoçar.*

2 — PRESENTE DO INDICATIVO
Quando queremos exprimir a intenção de realizar uma **ação próxima.** Neste caso é obrigatório o emprego de um advérbio de tempo.

Ex.: Amanhã *acabo* o trabalho.

3 — PRESENTE DO INDICATIVO DO VERBO *HAVER* + DE + INFINITIVO DO VERBO PRINCIPAL

a) Quando pretendemos manifestar o desejo de realizar uma **ação sem conhecimento da localização no tempo.**

Ex.: Um dia *hei de*[7] *ir* ver esse filme.

b) Quando pretendemos exprimir, de uma forma intensa, a intenção de realizar uma ação.

Ex.: *Havemos de* conseguir.

[7] Presente do Indicativo do verbo *haver de*: *hei de, hás de, há de, havemos de, hão de.*

4—PRESENTE DO INDICATIVO DO VERBO *TER* + DE + INFINITIVO DO VERBO PRINCIPAL

Quando queremos indicar uma ação futura de carácter obrigatório.

Ex.: *Tenho de ir* embora. Já é tarde.

5—FUTURO SIMPLES

a)—Na linguagem oral e escrita, para exprimir uma dúvida.

Ex.: Bateram à porta. Quem *será?*

b)—Para exprimir a realização de uma ação no futuro, usa-se apenas na linguagem cuidada oral e escrita.

Ex.: O ministro *tomará* posse na sexta-feira.

c)—Usa-se na linguagem jornalística, para exprimir factos de realização não confirmada.

Ex.: Segundo fonte segura, o diretor da empresa *estará* já fora do país.

EXPRESSÃO DO FUTURO I

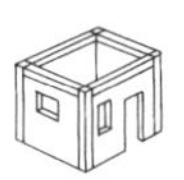

Assinale com uma cruz as frases em que o verbo tem um valor de futuro.

Ex.: Sais sempre de casa às seis da manhã? ☐

1—Amanhã almoçamos em casa. ☐
2—Geralmente eu fico em casa depois de jantar. ☐
3—Vamos logo ao cinema? ☐
4—Os miúdos vão gostar muito de brincar com o teu computador! ☐
5—A Sofia não trabalha na próxima sexta-feira. ☐
6—A Margarida telefona-te no sábado de manhã. ☐
7—Ao domingo, levantas-te cedo? ☐
8—Hei de passar por casa da tia Alice. ☐
9—Ele joga basquetebol na equipa do liceu. ☐
10—Vamos ao cinema ao sábado à noite. ☐

EXPRESSÃO DO FUTURO II

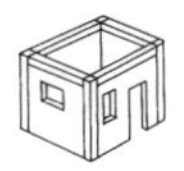

Complete as frases com as formas verbais adequadas.

Ex.: Amanhã, as temperaturas__________ (descer) significativamente sobretudo no Norte.

Amanhã, as temperaturas descerão significativamente, sobretudo no Norte.

1—Um dia destes eu__________ (ir) ver a mãe do Pedro.

2—Não te preocupes.__________ (fazer) esse exame.

3—Logo, eu__________ (ir) ao cinema com a Mariana.

4—Amanhã tu__________ (almoçar) na cantina?

5—No próximo fim de semana, o Ministro da Educação__________ (fazer) uma conferência sobre o problema do acesso ao Ensino Superior.

6—__________ (ser) que o Leonardo vem amanhã à reunião?

7—No ano que vem, nós__________ (vir) cá ver-te mais vezes.

8—Logo à noite, tu__________ (jantar) em casa da Manuela?

9—Um dia eu__________ (passar) por casa da tia Alice.

10—Na terça-feira, a Maria__________ (chegar) às cinco e meia.

CONDICIONAL

Verbos regulares

<table>
<tr><td colspan="2" rowspan="2"></td><td>-ar</td><td>-er</td><td>-ir</td></tr>
<tr><td>FALAR</td><td>COMER</td><td>PARTIR</td></tr>
<tr><td rowspan="4">S
I
N
G
U
L
A
R</td><td>Eu</td><td>falaria</td><td>comeria</td><td>partiria</td></tr>
<tr><td>Tu</td><td>falarias</td><td>comerias</td><td>partirias</td></tr>
<tr><td>(Você)/O senhor/A senhora</td><td rowspan="2">falaria</td><td rowspan="2">comeria</td><td rowspan="2">partiria</td></tr>
<tr><td>Ele/Ela</td></tr>
<tr><td></td><td></td><td></td><td></td><td></td></tr>
<tr><td rowspan="3">P
L
U
R
A
L</td><td>Nós</td><td>falaríamos</td><td>comeríamos</td><td>partiríamos</td></tr>
<tr><td>Vocês/Os senhores/As senhoras</td><td rowspan="2">falariam</td><td rowspan="2">comeriam</td><td rowspan="2">partiriam</td></tr>
<tr><td>Eles/Elas</td></tr>
</table>

Verbos irregulares

	eu	tu	(você)/o senhor/ /a senhora, ele/ela	nós	vocês/os senhores/ /as senhoras, eles/elas
DIZER	diria	dirias	diria	diríamos	diriam
FAZER	faria	farias	faria	faríamos	fariam
TRAZER	traria	trarias	traria	traríamos	trariam
PÔR	poria	porias	poria	poríamos	poriam

Emprego do Condicional 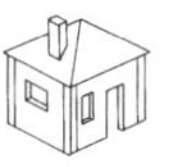

O *Condicional* é utilizado num registo cuidado. Na linguagem corrente é substituído pelo Pretérito Imperfeito do Indicativo.

Ex.: Eu *gostaria* de ver o dr. João Fonseca como candidato a Presidente da República. (linguagem cuidada)
Eu *gostava* de sair mais cedo. (linguagem corrente)

1 — Exprime um futuro relativamente a um momento do passado (Futuro do passado).

Ex.: O ministro decidiu que a partir de novembro **iria** negociar o acordo de pescas com Marrocos.

2 — Numa frase principal de uma frase subordinada condicional quando nesta se exprime uma condição ou uma suposição.

Ex.: Se tivessem apanhado o autocarro, não **teriam** necessidade de ir de táxi.

3 — Exprime uma hipótese ou uma incerteza relativamente a um acontecimento do passado.

Ex.: **Seria** o filho do Pedro que ia no autocarro?

4—É utilizado numa frase interrogativa indireta.

Ex.: Mesmo com outras condições, não sei se **teria concordado**.

5—Atenua a expressão do desejo (condicional de cortesia).

Ex.: **Gostaria** de exprimir o meu reconhecimento...

PRETÉRITO IMPERFEITO DO INDICATIVO→CONDICIONAL

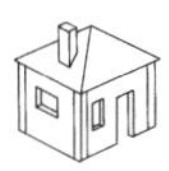

Escreva as frases seguintes usando uma linguagem cuidada.

Ex.: Tu podias levar-me esta encomenda para o correio?
Tu poderias levar-me esta encomenda para o correio?

1—Achas que eles gostavam de vir jantar a nossa casa?

____

2—Eras capaz de me explicar isto?

____

3—Gostava de saber o que ele tem para dizer.

____

4—O diretor pensava apresentar o projeto antes das férias.

____

5—Tu dizias à professora que faltaste à aula porque não te apeteceu vir?

____

6—Se ele pudesse, punha os filhos a estudar num colégio particular.

____

7—Achas que a filha dele estava mesmo doente?

____

8—O Paulo não fazia uma coisa dessas!

____

9—Achas que o Pedro trazia a namorada?

____

10—A diretora não despedia as funcionárias sem ouvir a opinião do subdiretor.

____

MODO CONJUNTIVO

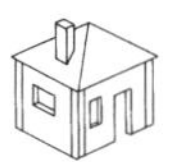

PRESENTE DO CONJUNTIVO

Verbos regulares

		-ar	-er	-ir
		FALAR	COMER	PARTIR
SINGULAR	Eu	fale	coma	parta
	Tu	fales	comas	partas
	(Você)/O senhor/A senhora Ele/Ela	fale	coma	parta
PLURAL	Nós	falemos	comamos	partamos
	Vocês/Os senhores/As senhoras Eles/Elas	falem	comam	partam

Alguns verbos irregulares

	eu	tu	(você)/o senhor/ /a senhora, ele/ela	nós	vocês/os senhores/ /as senhoras, eles, elas
DAR	dê	dês	dê	demos	deem
ESTAR	esteja	estejas	esteja	estejamos	estejam
DIZER	diga	digas	diga	digamos	digam
FAZER	faça	faças	faça	façamos	façam
HAVER	—	—	haja	—	—
PODER	possa	possas	possa	possamos	possam
SER	seja	sejas	seja	sejamos	sejam
TER	tenha	tenhas	tenha	tenhamos	tenham
TRAZER	traga	tragas	traga	tragamos	tragam
IR	vá	vás	vá	vamos	vão
SENTIR	sinta	sintas	sinta	sintamos	sintam
VIR	venha	venhas	venha	venhamos	venham
PÔR	ponha	ponhas	ponha	ponhamos	ponham

EMPREGO DO PRESENTE DO CONJUNTIVO[8]

O PRESENTE DO CONJUNTIVO indica um facto presente ou um facto futuro mas exprime sempre uma ideia de **dúvida, desejo, eventualidade** ou **possibilidade.**

Emprega-se em:

1 — Frases principais

a) — Dubitativas, exprimindo probabilidade:

Ex.: **Talvez** *vá* amanhã ao cinema.

b) — Exclamativas, exprimindo desejo:

Ex.: **Oxalá** eles *venham* antes do teu pai!

2 — Frases subordinadas

a) — Introduzido por determinadas **expressões impessoais:**

Ex.: **É bom que** eles *venham* connosco.
É importante que *vás* com a Joana.
É possível que os avós *vão* lá almoçar.
É preciso que *estudes* mais matemática!
É provável que o João *chegue* antes de nós.
Pode ser que eu *traga* a Joana logo à noite.

b) — Introduzido por determinadas **conjunções/locuções: caso** (Caso *vás* ao cinema, avisa-me.); **mal** (Mal *entres* em casa, liga a luz.); **embora** (Embora ele *trabalhe* pouco, consegue ter boas notas.); **mesmo que** (Continua a trabalhar mesmo que *tenhas* muitas dificuldades.); **logo que/assim que** (Logo que ele *acabe* o trabalho, telefona-me.).

c) — Introduzido por verbos que exprimem ***desejo*** (Espero que ele *venha* cedo.); ***dúvida*** (Duvido que elas *cheguem* a tempo.); ***vontade*** (Quero que tu *fiques* com esta caixa.); ***pedido*** (Peço-te que *venhas* cá o mais depressa possível.).

PRESENTE DO CONJUNTIVO I

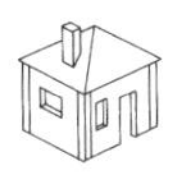

Assinale a resposta certa com uma cruz, de acordo com o exemplo.

Ex.: Talvez eu (ir) logo ao cinema.

a) vou	
b) vai	
c) ***vá***	*X*
d) venha	

---

[8] O Modo Conjuntivo é apresentado e desenvolvido no livro *Vamos lá Continuar*! No entanto, apresentamos aqui uma primeira abordagem, mais superficial, e apenas do Presente do Conjuntivo, porque achamos importante dar ao aluno a possibilidade de usar o Conjuntivo nesta fase da aprendizagem da língua.

1—É possível que a Ana (vir) a Portugal nas férias grandes.

a) vai
b) venha
c) vem
d) vá

2—Espero que o Luís (chegar) a horas.

a) chega
b) chegue
c) chegou
d) chegará

3—É preciso que vocês (trabalhar) mais.

a) trabalhem
b) trabalham
c) trabalharam
d) trabalhar

4—É provável que o Pedro (estar) cá amanhã.

a) está
b) esteja
c) estará
d) esteve

5—Embora a Joana (estudar) pouco, passou a todas as disciplinas.

a) estudou
b) estudará
c) estuda
d) estude

6—Mesmo que eles não (concordar), nós vamos avançar com o projeto.

a) concordem
b) concordaram
c) concordam
d) concordarão

7—É melhor que ela não (fazer) isso antes de o João saber o que se passou.

a) faz
b) fará
c) faças
d) faça

8—É possível que (haver) problemas com o trânsito.

a) haverá
b) haja
c) há
d) houve

9—Oxalá a Luísa (perceber) o que se está a passar.

a) percebe ☐
b) perceberá ☐
c) percebo ☐
d) perceba ☐

10—É importante que o João (dizer) o que se passou.

a) diz ☐
b) disse ☐
c) dirá ☐
d) diga ☐

PRESENTE DO CONJUNTIVO II

Transforme estas frases, introduzindo a palavra entre parênteses.

Ex.: Eu vou à reunião mas tenho de sair muito cedo. (embora)
Embora eu vá à reunião, tenho de sair muito cedo.

1—O João estuda muito mas nunca teve mais de 14 valores. (embora)

____

2—Ele telefona logo à noite. (talvez)

____

3—Trago uma prenda aos meninos. (é possível que)

____

4—Eles fazem sempre muito barulho. (é indecente que)

____

5—A Ana não gosta da ideia mas eu vou avançar com a proposta. (mesmo que)

____

6—Os avós vêm cá passar o fim de semana. (esperamos que)

____

7—O processo acaba desta maneira. (é triste que)

____

8—O João chega a tempo de ver o avô. (oxalá)

____

9—Nós estamos com eles no domingo. (é provável que)

____

10—Vocês compreendem a nossa situação. (é importante que)

____

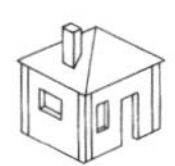

Emprego do Imperativo[9]

O Imperativo serve para exprimir:

1 — **Ordem**
Ex.: **Fale** mais alto!

2 — **Conselho**
Ex.: **Pensa** bem no assunto.

3 — **Convite**
Ex.: **Almoça** comigo.

4 — **Súplica**
Ex.: **Ajuda-me!**

Verbos regulares

	CANTAR	CORRER	PARTIR
(tu)	canta *	corre *	parte *
(você)	cante	corra	parta
(nós)	cantemos	corramos	partamos
(vocês)	cantem	corram	partam
(tu)	não cantes	não corras	não partas
(você)	não cante	não corra	não parta
(nós)	não cantemos	não corramos	não partamos
(vocês)	não cantem	não corram	não partam

* Esta forma é igual à 3.ª pessoa do singular do Presente do Indicativo. Todas as outras formas são iguais ao Presente do Conjuntivo.

Alguns Verbos Irregulares

	(tu)	(você)/(o senhor)/ /(a senhora)	(nós)	(vocês)/(os senho- res)/(as senhoras)
DAR	dá/não dês	dê	demos	deem
ESTAR	está/não estejas	esteja	estejamos	estejam
DIZER	diz/não digas	diga	digamos	digam
FAZER	faz/não faças	faça	façamos	façam
SER	sê/não sejas	seja	sejamos	sejam
TER	tem/não tenhas	tenha	tenhamos	tenham
TRAZER	traz/não tragas	traga	tragamos	tragam
VER	vê/não vejas	veja	vejamos	vejam
IR	vai/não vás	vá	vamos	vão
OUVIR	ouve/não ouças	ouça	ouçamos	ouçam
SEGUIR	segue/não sigas	siga	sigamos	sigam
VIR	vem/não venhas	venha	venhamos	venham
PÔR	põe/não ponhas	ponha	ponhamos	ponham

[9] O Modo Imperativo é apresentado e desenvolvido no livro *Vamos lá Continuar!* No entanto, apresentamos aqui uma primeira abordagem, mais superficial, porque achamos importante dar ao aluno a possibilidade de usar o Imperativo sobretudo para exprimir a ordem e o convite.

IMPERATIVO I

Assinale a resposta certa com uma cruz, de acordo com as palavras entre parênteses.

Ex.: Não (atravessar) a rua sem olhar. (tu)

a) atravesses	*X*
b) atravessas	
c) atravesse	

1—(fechar) a porta se faz favor. (o senhor)

a) Fecha	
b) Feche	
c) Fechem	

2—(desculpar) mas não posso ir ao cinema porque tenho muito trabalho. (tu)

a) Desculpe	
b) Desculpa	
c) Desculpas	

3—(olhar) antes de atravessar a rua. (vocês)

a) Olhemos	
b) Olhem	
c) Olham	

4—(ir) sempre em frente. (o senhor)

a) Vai	
b) Vá	
c) Vais	

5—(almoçar) cá em casa. (tu)

a) Almoce	
b) Almoça	
c) Almoças	

6—Não (trazer) nada para o jantar. (tu)

a) tragas	
b) trazes	
c) traga	

7—Não (bater) a porta com força, por favor. (o senhor)

a) bata	
b) batas	
c) batam	

8—(dar)-me um cigarro. (tu)

a) Dás
b) Dê
c) Dá

9—(desculpar) mas já não há bilhetes. (a senhora)

a) Desculpa
b) Desculpe
c) Desculpas

10—(vir) jantar a nossa casa. (o senhor)

a) Vem
b) Venha
c) Vens

IMPERATIVO II

Complete este texto de acordo com o exemplo.

—Pode-me dizer como se vai para o Hotel Alfa?

—Com certeza. ***Siga*** (seguir) sempre em frente, (1) ______________ (virar) na primeira rua à esquerda e depois (2) ______________ (cortar) na terceira à direita. (3) ______________ (ir) sempre pelo passeio da direita e depois, ao fundo da rua, (4) ______________ (atravessar) a Rua Eça de Queirós. O Hotel Alfa fica mesmo na esquina dessa rua com a Rua Álvares Cabral. Mas (5) ______________ (olhar) que é só ao fundo da Rua Eça de Queirós.

VAMOS LÁ RECAPITULAR! 4 

Complete o diálogo com as formas adequadas dos verbos indicados entre parênteses, mantendo a coerência:

Cristina: Olá, Guida. Há tanto tempo que não te ***via*** (vejo/vi/via/tenho visto)! (1) ____________ (dizes/diz/digas/dizias)-me como (2) ________________ (passaste/tem passado/passou/tens passado)!

Guida: (3) ____________ (passei/passo/passas/tenho passado) bem. E tu? (4) ____________ (continuaste/continuas/continuo/continuavas) a trabalhar na mesma empresa?

Cristina: Claro. Não (5) ____________ (gostei/gosto/gostava/gostarei) muito mas ainda não (6) ____________ (encontro/encontrava/tenho encontrado/encontrei) melhor. E tu? Ainda (7) ____________ (tens estado/tinhas estado/estavas/estás) na mesma escola?

Guida: (8) ____________ (estava/estou/tenho/tinha). (9) ____________ (era/é/foi/tem sido) uma escola nova com professores muito dinâmicos.

Cristina: Quando te (10) ________________ (via/vi/vejo/tenho visto) no ano passado, (11) ______________________ (estavas/estiveste/estive/estava) a preparar uma peça de teatro com uma turma...

Guida: Ah, pois (12) ____________ (estavas/estive/estava/estivera). (nós) (13) ____________ (apresentei/apresentamos/apresentámos/temos apresentado) a peça no fim do ano, na Semana da Escola. (14) ____________ (tem sido/fui/foi/é) um sucesso!

Cristina: Que maravilha!

Guida: Olha. A tua mãe (15) ____________ (esteve/estava/está/estivera) melhor daquele problema de saúde que ela (16) ____________ (tem tido/tinha tido/tem/teve) no ano passado?

Cristina: Sim, sim. (17) ____________ (melhorava/melhora/tem melhorado/melhorou) muito desde que (18) ____________ (fora/foi/tem ido/tinha ido) a um médico naturista.

Guida: Naturista?! A tua mãe?!

Cristina: (19) ____________ (foi/é/era/está) verdade! (20) ____________ (faz/fez/fizera/fazia) uma dieta e (21) ____________ (emagreceu/emagrecera/emagrecia/emagreci) imenso!

Guida: (22) ____________ (fico/ficaste/estou/tenho ficado) muito contente com essa notícia. Agora, (23) ____________ (tive/tenho tido/teve/tenho) de ir embora porque (24) ____________ (dás/darei/vou dar/hei de dar) uma aula às duas e meia.

Cristina: (25) ____________ (gosto/gostei/gostava/tenho gostado) muito de te ver! Até à próxima.

Guida: Adeus. Beijinhos à tua mãe.

Cristina: Adeus.

PRONOMES E ADVÉRBIOS INTERROGATIVOS

Exemplos:

Outros exemplos:

O que estás a fazer? *Qual* é a tua profissão? *Quais* são os teus livros? *Quem* é aquele rapaz?	*Como* te chamas? *Onde* trabalhas? *Quando* chegaste? *Quanto* custa este casaco? *Quantos* filhos tens?

Preposição + Interrogativos

Preposição (a/com/de/em/para/...) + que
—*Em que* ano foi a queda da Monarquia em Portugal? — Em 1910.
—*A que* horas sais de casa? — Saio geralmente às oito.
—*De que* género é esse filme? — É uma comédia dramática.

Preposição (a/para/de) + onde
—*Aonde* vais logo à noite? — Vou ao cinema.
—*De onde* és? — Sou de Bragança.
—*Para onde* é que a Paula vai trabalhar? —Para Londres.

Preposição (com/a/de/...) + quem
—*Com quem* é que o António está a falar? —Com o Paulo.
—*De quem* é este livro? — É meu.

PRONOMES E ADVÉRBIOS INTERROGATIVOS I

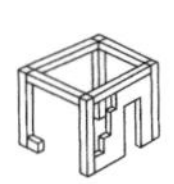

Complete esta entrevista com o Pronome/Advérbio Interrogativo adequado.

Ex.: ______________ se chama? — Chamo-me Alberto.

— Como se chama? — Chamo-me Alberto.

Teresa Fernandes é jornalista da revista "Faces" e está a entrevistar Joana Pereira de Sousa.

—(1) ______________ é o seu nome?
— Joana Pereira de Sousa.
— Desculpe perguntar mas (2) ______________ anos tem?
— Tenho 45.
—(3) ______________ é a sua nacionalidade?
— Sou portuguesa.
—(4) ______________ é?
— Sou de Évora.
—(5) ______________ é a sua profissão?
— Sou técnica de informática.
—(6) ______________ mora?
— Moro em Coimbra.
—(7) ______________ filhos tem?
— Tenho duas meninas.
—(8) ______________ se chamam elas?
— Mariana e Teresa.
—(9) ______________ são os seus passatempos favoritos?
— Ler, ir ao cinema e ao teatro. Também gosto de fazer malha, de vez em quando.
—(10) ______________ é o seu desporto favorito?
— Natação.

PRONOMES E ADVÉRBIOS INTERROGATIVOS II

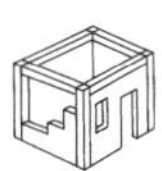

Complete as frases com o interrogativo adequado.

Ex.: — ______________ anos tens?
— Tenho vinte anos.

Quantos	*X*
Quanto	
Quando	
Quanta	

1 — ______________ é aquele rapaz? — É o Pedro.

Que	
Quem	
Qual	
O que	

2— ______________ vais para o Porto?—Vou amanhã.

Quando	
Onde	
Quem	
Quanto	

3— ______________ vives?—Vivo em Braga.

Quando	
Quem	
Onde	
Como	

4— ______________ é o teu carro?—É o azul.

Qual	
Quais	
Que	
O que	

5— ______________ fazes no próximo fim de semana?—Vou à praia.

Quando	
O que	
Qual	
Aonde	

6— ______________ é o teu escritor preferido?—José Saramago.

Quando	
O que	
Que	
Qual	

7— ______________ línguas falas?—Três.

Quantos	
Quais	
Que	
Quantas	

8— ______________ filhos tem a d. Fernanda? — Tem dois.

Quanto	
Quais	
Quantas	
Quantos	

9— ______________ são os teus livros? — São estes.

Quantos	
Que	
Qual	
Quais	

10— ______________ ganhas por mês? — 1000 euros.

Quanto	
Quantos	
Quantas	
Qual	

PRONOMES E ADVÉRBIOS INTERROGATIVOS III

Complete as frases com a palavra adequada.

À frente de cada frase, escreva a letra adequada no quadrado vazio.

Ex.: — De ______________ estás à espera? — Do Jorge.
1— ______________ primos tens?
2— ______________ está o meu guarda-chuva?
3— ______________ é o teu casaco?
4— ______________ são os teus pratos favoritos?
5— ______________ vais para casa? — Vou de autocarro.
6— ______________ vais fazer amanhã? — Vou ao teatro.
7— ______________ é aquele rapaz que está a falar com o Jorge?
8— ______________ vais a Lisboa? — Depois de amanhã.
9— ______________ custa este vestido? — 100 euros.
10— Em ______________ casa moras? — Na última casa da rua.

J	A — Qual
	B — Quem
	C — que
	D — Como
	E — Quando
	F — Quanto
	G — Quantos
	H — Quais
	I — Onde
	J — quem
	L — O que

PRONOMES E ADVÉRBIOS INTERROGATIVOS IV

Escreva as perguntas para as seguintes respostas de acordo com a expressão sublinhada.

Ex.: *Qual é a sua profissão?* — Sou engenheiro.

1— — ____?
— Estou em Portugal há dez anos.

2— — ____?
— Vou para a escola.

3— — ____?

— Gosto de passear com a Joana.

4— — ____?

— Estamos no Hotel Infante.

5— — ____?

— A minha cidade portuguesa preferida é o Porto.

6— — ____?

— Amanhã vou ao cinema.

7— — ____?

— Este carro é do Paulo.

8— — ____?

— Chegámos ontem.

9— — ____?

— O meu clube é o Porto.

10— — ____?

— Este vestido custa 300 euros.

PRONOMES INDEFINIDOS

Chamam-se **Pronomes Indefinidos** os pronomes que se aplicam à terceira pessoa gramatical, quando considerada de um modo vago e indeterminado.

Variáveis				Invariáveis
Masculino		Feminino		
Singular	Plural	Singular	Plural	
algum	alguns	alguma	algumas	alguém
	ambos		ambas	
nenhum	nenhuns	nenhuma	nenhumas	ninguém
todo	todos	toda	todas	tudo
outro	outros	outra	outras	outrem
muito	muitos	muita	muitas	nada
pouco	poucos	pouca	poucas	cada
certo	certos	certa	certas	algo
vário	vários	vária	várias	
tanto	tantos	tanta	tantas	
quanto	quantos	quanta	quantas	
qualquer	quaisquer	qualquer	quaisquer	

Exemplos:

O Jorge tem *muitos* amigos.

Outros exemplos:

Nós tínhamos *alguma* fome mas não conseguimos comer *nada.*
Ele tem *tantos* amigos que nunca janta em casa!
Todos os homens são livres e iguais em direitos.
Tudo o que ele faz está bem feito.
Tudo aquilo era muito estranho!
Ele tem razão até *um certo* ponto.
Ninguém encontrou o João.
Não tenho *nenhum* livro aqui.
Ela não viu *nada*!
Certas pessoas achavam que eles tinham razão; *outras* achavam que não.
Isto não pode ser feito de *qualquer* maneira!
Ele não aceita as desculpas *quaisquer* que elas sejam!
Cada filho recebeu uma parte da herança.

PRONOMES INDEFINIDOS I

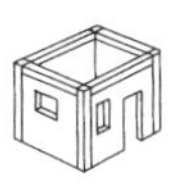

Escolha o indefinido adequado.

Ex.: Na sala não está ______________. Já viste se estão no jardim?

nada	
ninguém	*X*
alguém	
algum	

1—O Paulo levou ______________ o que estava em cima da mesa.

toda	
todos	
todo	
tudo	

2—Está ______________ no gabinete do diretor?

nada	
alguém	
ninguém	
nenhum	

3—A Mariana não teve ______________ negativa no primeiro período.

nada	
ninguém	
nenhum	
nenhuma	

4—Nós perdemos ______________ tempo com pormenores sem importância.

muito	
muita	
tanto	
tão	

5—Eles têm ______________ problemas com o filho. Por causa dele, passam a vida no hospital.

muito	
poucos	
pouco	
muitos	

6—A Maria tem ______________ amigos que nem sabe o nome de ______________.

muitos	
muitas	
tantos	
tantas	

nenhuns	
algum	
tudo	
todos	

7— ____________ pessoas pensam que comer muito não faz mal à saúde!

Muitos	
Algumas	
Alguns	
Nenhuns	

8— ____________ o que ele disse é mentira!

Nada	
Tudo	
Todo	
Qualquer	

9— Ele não percebeu____________ do que eu disse.

tudo	
certo	
todo	
nada	

10— ____________ aluno recebeu um livro.

Todo	
Vário	
Cada	
Certo	

PRONOMES INDEFINIDOS II

Escolha o indefinido adequado (escreva a letra correspondente no espaço em branco).

Ex.: — ______*H*______ ***dia, ele chegou a minha casa muito triste.***

1—A Ana não me disse ____________.

2— ____________ sabe onde está o Luisinho?

3—Ele come ____________! Meu Deus!

4—Ele comprou ____________ o que estava na montra!

5—O Jorge deu uma bicicleta a ____________ filho.

6—Ele atrai o trabalho ____________ para ele.

7—Nós temos ____________ coisas para discutir.

8—Está aqui ____________ senhor chamado Carlos Fernandes?

9—A Helena tem ____________ amigos.

10—O Jorge não tem ____________ livros.

A—cada
B—todo
C—nenhuns
D—nada
E—algumas
F—algum
G—alguém
H—certo
I—tudo
J—tanto
L—muitos

PRONOMES INDEFINIDOS III

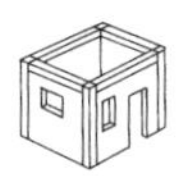

Complete as frases com os indefinidos adequados.

Ex.: Ele comeu a sopa______________.

Ele comeu a sopa toda.

1—Eles levam sempre ______________ livros para casa.
2—Nós não queremos ______________, obrigado.
3—______________ isso é absolutamente incrível!
4—Elas não pagaram ______________ pelo trabalho.
5—______________ pessoas tiveram de ver o espetáculo em pé.
6—O Luís come ______________ bolos que está gordíssimo!
7—Temos ______________ pena do que lhe aconteceu!
8—______________ alunos saíram mais cedo mas a maioria ficou na aula.
9—Tenho ______________ o tempo do mundo!
10—Tenho ______________ calor que não aguento mais!

PRONOMES INDEFINIDOS IV

Complete este texto com os indefinidos adequados.

Há ***alguns*** dias o Paulo esteve aqui em casa a conversar (1) ______________ tempo comigo e com a Ana. Estivemos (2) ______________ horas seguidas a conversar. Conversámos durante (3) ______________ tempo que nos esquecemos de jantar. Quando olhámos para o relógio e vimos as horas, decidimos telefonar para (4) ______________ restaurantes mas já estavam (5) ______________ fechados exceto o "Canal". Não há (6) ______________ restaurante como este. Não tem (7) ______________ gente, tem (8) ______________ pratos mas muito bons. (9) ______________ dia, levo-te lá. E sabes o que aconteceu? O dono do restaurante quis oferecer--nos o jantar! É verdade! Não pagámos (10) ______________!

Muito, muita, muitos, muitas

muito/a/os/as + substantivo

Exemplos:

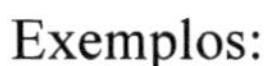

Outros exemplos:

Ela tem **muitos** discos de música portuguesa.
Eles têm **muitas** casas.
Ele tem **muito** dinheiro.
Ela tem **muita** sorte.

MUITO, MUITA, MUITOS, MUITAS

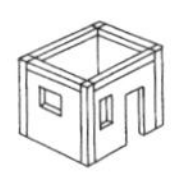

Complete as frases com *muito, muita, muitos, muitas*.

Ex.: ______________ gente não gosta de futebol.
Muita gente não gosta de futebol.

1 — Quando como bacalhau assado, fico sempre com ______________ sede.
2 — ______________ pessoas não gostam de andar de avião.
3 — ______________ portugueses preferem o hóquei em patins ao futebol.
4 — Ontem caiu ______________ neve na Serra da Estrela.
5 — ______________ gente viu os Jogos Olímpicos.
6 — Ontem à noite tive ______________ frio.
7 — O João tem ______________ amigos.
8 — Nós comemos ______________ peixe.
9 — A Joana come ______________ carne!
10 — ______________ portugueses acreditam em milagres.

Tanto/a/os/as

tanto/a/os/as + substantivo

Usa-se em frases:

- Comparativas (Ex.: Ele tem **tanto** trabalho como eu.)
- Consecutivas (Ex.: Ele tem **tanto** trabalho **que** nunca tem tempo para ir ao cinema.)
- Exclamativas (Ex.: Ele tem **tanta** fome!)

Outros exemplos:

Ele tem sempre **tanta** sede!
Eu tenho **tantos** livros como tu.
Ele tem **tantos empregos que** não consegue dar resposta a todos!
Ele tem **tantos** amigos!
Eu tenho **tantas** irmãs como tu.
A minha filha tem **tantas** amigas **que** raramente dorme em nossa casa.
Ela tem **tantas** bonecas!

TANTO/A/OS/AS, MUITO/A/OS/AS I

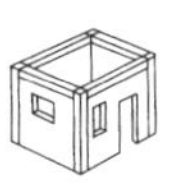

Complete as frases com a palavra adequada.

Ex.: Nós comemos ____________ carne ontem à noite que ficámos maldispostos!

muito	
muitos	
tanta	***X***
tantos	

1—Nós temos ____________ amigas como vocês.

muitas	
muitos	
tantos	
tantas	

2—Ela traz sempre ____________ trabalho para casa que nem tem tempo para descansar!

tão	
muita	
muito	
tanto	

3—Ontem tomámos ____________ café que não conseguimos dormir!

tão	
muito	
tanto	
muitos	

4—A Ana lê ______________ livros como a Joana.

tantos	
tantas	
muitos	
muitas	

5—Nós lemos ______________ livros policiais.

tantos	
muitos	
tão	
tantas	

6—A Margarida come ______________ rebuçados que anda sempre com dores de barriga.

muito	
tão	
tantos	
tanto	

7—O Jorge tem ______________ livros que não sabe por onde deve começar!

tanto	
muito	
muitos	
tantos	

8—O Paulo come ______________ doces como a Anabela.

tanto	
muito	
tanta	
tantos	

9—______________ professores pensam que o João trabalha mais do que a Ana.

Muitos	
Tantos	
Muito	
Tanto	

10—Nós compramos sempre ______________ coisa no supermercado que temos de levar dois carrinhos!

muita	
muitas	
tantas	
tanta	

TANTO/A/OS/AS; MUITO/A/OS/AS II

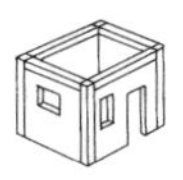

Complete as frases com: *tanto, tanta, tantos, tantas* ou *muito, muita, muitos, muitas*.

Ex.: Eu tenho_____________ livros como tu.

Eu tenho tantos livros como tu.

1—_____________ dinheiro se gastou com aquele casamento! É indecente!

2—Bolas! Como é que tu podes correr _____________ tempo sem parar?!

3—Estou com _____________ sede.

4—_____________ dias sem comer não te vai fazer nada bem!

5—A Maria tem _____________ amigos cá em Portugal como em França!

6—A Ana vende _____________ livros de História como de Literatura.

7—Quando voltámos de férias, o frigorífico tinha _____________ gelo que não o conseguimos abrir!

8—Hoje em dia há _____________ pessoas que fazem férias no estrangeiro como em Portugal.

9—Hoje não está _____________ calor como ontem.

10—Nós comemos _____________ doce que ficámos doentes!

ADVÉRBIOS

Os **Advérbios** são palavras invariáveis que servem para modificar a palavra (ou um conjunto de palavras) a que eles estão ligados (adjetivo, advérbio, nome, verbo).
Vamos estudar aqui apenas alguns (estão escritos a negrito). Neste capítulo vamos também estudar os **Graus dos Advérbios.**

Afirmação	sim, efetivamente
Dúvida	porventura, talvez
Exclusão	só, apenas, somente
Inclusão	até, mesmo, também
Intensidade	bastante, demais, mais, **muito**, pouco, **tanto**, **tão**
Lugar	abaixo, acima, adiante, **aqui**, **aí**, **ali**, atrás, **cá**, **lá**, longe, perto
Modo	assim, bem, depressa, devagar, melhor, pior
Negação	não
Tempo	agora, ainda, amanhã, hoje, já, logo, nunca, sempre

ALGUNS ADVÉRBIOS DE LUGAR

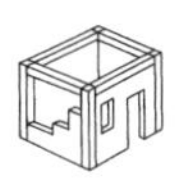

aqui	aí	ali
Refere-se a um objeto ou ser que se encontra (ou uma ação que decorre) junto do locutor.	Refere-se a um objeto ou ser que se encontra (ou uma ação que decorre) perto do interlocutor.	Refere-se a um objeto ou ser que se encontra (ou uma ação que decorre) longe do locutor e do interlocutor.

Aqui, **aí e ali** referem-se a pessoas, objetos e ações que se encontram ou decorrem num local visível do locutor ou do interlocutor.

cá	aí	lá
Refere-se a um objeto ou ser que se encontra (ou uma ação que decorre num espaço) junto do locutor.	Refere-se a um objeto ou ser que se encontra (ou uma ação que decorre) perto do interlocutor.	Refere-se a um objeto ou ser que se encontra (ou a uma ação que decorre) longe do locutor e do interlocutor.

ADVÉRBIOS DE LUGAR

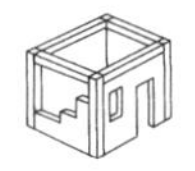

Complete as frases de acordo com as imagens ou com a própria frase.

Ex.: 

O meu carro está <u>aqui</u>.

1— 

2— A casa dele é aquela ____________?

3— 

4— Os vossos guarda-chuvas estão ____________ nesta sala.

5— Sabes se o Jorge está ____________ nessa sala?

6— 

7— O Hugo está ____________ em tua casa?

8— A tua saia não está____________ neste armário.

9— ____________ nesta sala está frio.

10— Esse jornal que tens ____________ é de hoje?

Advérbios de intensidade

MUITO 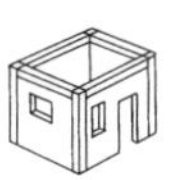

muito + adjetivo (Ex.: Ele é **muito** alto.)
muito + advérbio (Ex.: Ele come **muito** depressa.)
verbo + **muito** (Ex.: Ela **trabalha** muito.)
muito + verbo (enfático) (Ex.: Ela **muito** trabalha!)

Tão/tanto 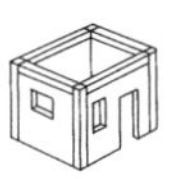

tão + adjetivo

Usa-se em frases:

a) comparativas (Ex.: Ele é **tão** alto **como** eu.);
b) consecutivas (Ex.: Ele está **tão** desinteressado **que** não vai conseguir passar nos exames.);
c) exclamativas (Ex.: Ele é **tão** bonito!).

tão + advérbio

Usa-se em frases:

a) comparativas (Ex.: Ele come **tão** depressa **como** eu.);
b) consecutivas (Ex.: Ele guia **tão** depressa **que** um dia destes vai ter um acidente.);
c) exclamativas (Ex.: Ele come **tão** depressa!).

tanto + verbo

Usa-se em frases:

a) comparativas (Ex.: Ele **tanto** come carne **como** peixe.);
b) consecutivas (Ex.: Ele **tanto** estudou **que** vai conseguir passar no exame!).

verbo + **tanto**

Usa-se em frases:

a) comparativas (Ex.: Ele come **tanto** carne **como** peixe.);
(Também pode colocar-se antes do verbo: Ele **tanto** come carne **como** peixe.)
b) consecutivas (Ex.: Ele estudou **tanto que** vai conseguir passar no exame.);
c) exclamativas (Ex.: Ele estuda **tanto**!).

TÃO/TANTO I

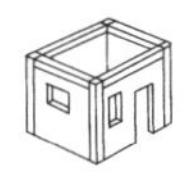

Complete as frases com os advérbios *tão* ou *tanto*.

Ex.: O Mário trabalha______________ como o pai.
O Mário trabalha tanto como o pai.

1—A Ana corre______________ como uma atleta profissional.
2—O Jorge é______________ lento que nunca acaba os trabalhos antes do fim das aulas.
3—Com uma vida______________ difícil não sei como eles conseguem sobreviver!
4—Eles trabalham______________ depressa que conseguiram substituir os canos todos em dois dias.
5—Ele fez______________ sacrifícios que os filhos ficaram reconhecidos para sempre.
6—A tua ajuda foi______________ preciosa que nunca vamos esquecer.
7—______________ ele como a irmã são bons alunos.
8—Ele precisa______________ de apoio que vai todas as semanas ao psiquiatra.
9—A Helena é______________ competente que o diretor a chamou para chefe de gabinete.
10—Eles______________ bebem sumo como água.

TÃO/TANTO II

Transforme estas frases separadas em frases ligadas por *tão/tanto que*.

Ex.: Ele come muito. Ele vai ficar gordíssimo!
Ele come tanto que vai ficar gordíssimo!

1—A Ana trabalha muito. Vai apanhar um esgotamento.

____

2—O Luís canta muito bem. Vai ser contratado para um espetáculo.

____

3—A tia Mariana faz uns bolos muito bons. Toda a gente adora os bolos dela.

____

4—O João Pedro conduz muito depressa. Um dia vai ter um acidente.

____

5—A Helena participa nas aulas e estuda muito. É considerada a melhor aluna.

____

6—Os homens fizeram muito mal a montagem elétrica. Vamos mandar fazer tudo outra vez.

____

7—O Francisco Meneses ganha muito. Não sabe o que fazer ao dinheiro!

____

8—A avó vê muito mal. Ontem quase caiu nas escadas!

____

9—O Jorge estava muito cansado. Foi para a cama às nove.

____

10—O João comeu muito. Ficou maldisposto.

____

TÃO, TANTO/A/OS/AS, MUITO/A/OS/AS

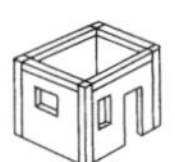

Atenção!
Este exercício serve para aplicar os Pronomes Indefinidos *tanto/a/os/as* e *muito/a/os/as* e os advérbios homónimos *tanto/muito* e ainda o advérbio *tão.*

Assinale a palavra correta com uma cruz.

Ex.: Nós comemos ____________ ontem à noite que ficámos maldispostos!

muito	
muitos	
tanto	*X*
tantos	

1—Nós temos ____________ amigas mas também temos ____________ amigos.

muitas	
muitos	
tantos	
tantas	

muitas	
muitos	
tantos	
tantas	

2—Ela traz sempre ____________ trabalho para casa que nem tem tempo para descansar!

tão	
muita	
muito	
tanto	

3—Ontem comemos ____________ em casa do Zé António que não conseguimos dormir!

tão	
muito	
tanto	
muitos	

4—A Ana é ____________ estudiosa como a Madalena.

tanto	
tanta	
tão	
muita	

5—Nós lemos ______________ livros policiais.

tantos	
muitos	
tão	
tantas	

6—A Margarida gosta ______________ de comer rebuçados que anda sempre com dores de barriga.

muito	
tão	
tantos	
tanto	

7—O Jorge está ______________ gordo que o médico lhe disse para fazer um tratamento para emagrecer.

tanto	
muito	
muitos	
tão	

8—O João conduz ______________ mal que toda a gente tem medo de andar com ele de carro!

tão	
tanto	
muito	
muita	

9—Nós compramos sempre ______________ coisas no supermercado!

muitas	
muitos	
tantos	
tantas	

10—O Francisco fala ______________ depressa.

tanto	
muito	
muita	
tanta	

Graus dos Advérbios

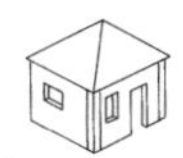

Advérbios regulares

Comparativo de igualdade: Ex.: Este carro anda *tão depressa como* aquele.
Comparativo de superioridade: Ex.: Este carro anda *mais depressa do que* aquele.
Comparativo de inferioridade: Ex.: Ele trabalha *menos ativamente do que* ela.
Superlativo absoluto composto ou analítico: Ex.: Este carro anda *muito depressa.*
Superlativo absoluto simples ou sintético: Ex.: Este carro anda *devagaríssimo.*

Advérbios irregulares

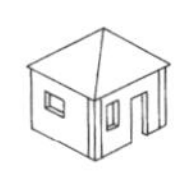

Alguns advérbios são irregulares em alguns graus: Ex.: *bem, mal.*

	bem	**mal**
Comparativo de superioridade	*melhor do que*	*pior do que*
Superlativo absoluto sintético	*otimamente*	*pessimamente*

GRAUS DOS ADVÉRBIOS

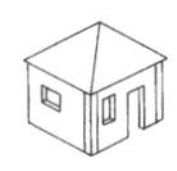

Complete as frases segundo o exemplo.

Ex.: O Jorge trabalha devagar mas o Pedro trabalha ______________ do que ele.
O Pedro trabalha mesmo ______________.
O Jorge trabalha devagar mas o Pedro trabalha mais devagar do que ele.
O Pedro trabalha mesmo muito devagar!

1—A Joaninha come muito bem mas a Guidinha come ______________. A Guidinha come mesmo ______________.

2—O Jorge guia depressa mas a Manuela guia ainda ______________. A Manuela guia mesmo ______________.

3—O Zé Manel porta-se mal nas aulas mas o Hugo porta-se ainda ______________. O Hugo porta-se ______________ nas aulas.

4—Este ano sinto-me bem mas no ano passado sentia-me ______________. No ano passado sentia-me mesmo ______________.

5—O Francis Obikwelu correu depressa mas o Christophe Lemaitre correu ainda ______________ do que o Francis Obikwelu. O Christophe Lemaitre correu mesmo ______________.

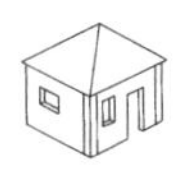

Querido João,

Estou a escrever-te para te falar da possível compra da casa. Tu sabes que nós gostamos (1) ______________________ daquela casa que logo que a vimos, pensámos comprá-la. É uma casa (2) ______________________ espaçosa, (3) ______________________ agradável e tem (4) ______________________ espaço livre no exterior para as crianças. Além disso, tem (5) ______________________ árvores de fruto e a Rita gosta (6) ______________________ de se dedicar à "agricultura"! Nós gostávamos de ter resolvido o assunto (7) ______________________ (depressa) do que fizemos, mas não foi possível devido aos (8) ______________________ problemas de saúde da Rita. Felizmente que as coisas agora estão (9) ______________________ (bem) e parece que (10) ______________________ (final) vamos poder realizar este sonho!

Um abraço,
Pedro

PREPOSIÇÕES

Preposições simples

a	***com***	***em***	***por***
ante	***contra***	***entre***	***sem***
após	***de***	***para***	***sobre***
até	***desde***	***perante***	sob
			trás

Nota: As preposições escritas a negrito e itálico são as que vamos estudar com mais atenção neste capítulo.

Verbo IR com as preposições *a/para*

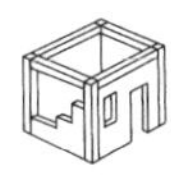

A — Duração de permanência

ir a = curta duração	ir para = longa duração
ONDE VAIS? = AONDE VAIS?	
1 — Vou a casa buscar um livro.	**1** — Vou para casa (ao fim do dia).
2 — Vou a Portugal mas volto na segunda-feira	**2** — Vou para Espanha (vou ficar lá muito tempo).
3 — Vou ao quiosque comprar o jornal.	**3** — Vou para o quiosque (trabalho no quiosque).
4 — Vou ao cinema.	**4** — Vou para o cinema (sou projecionista).
5 — Vou (jantar) ao restaurante.	**5** — Vou para o restaurante (sou empregado do restaurante).
6 — Vou ao aeroporto buscar o Pedro.	**6** — Vou para o aeroporto (trabalho no aeroporto).

B — Direção = ir para (mesmo por pouco tempo)

PREPOSIÇÕES I

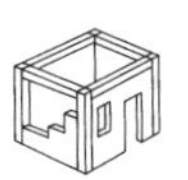

a/para

Complete as frases seguintes com as preposições *a* ou *para*.

Ex.: Eles vão__________ praia no domingo.
Eles vão __à__ praia no domingo.

1—— __________ onde vais?
—Vou __________ o aeroporto buscar o Jorge.
2—O meu irmão vai __________ Lisboa no domingo mas volta na terça-feira.
3—A Ana vai __________ Paris. Vai fazer o doutoramento. Só volta daqui a um ano.
4—Logo vamos __________ o cinema.
5—No domingo eu e a Fernanda vamos __________ a praia.
6—Queres ir __________ o café comigo?
7—Vocês vão logo __________ o teatro?
8—Já foram __________ o Museu de Serralves?
9—O Pedro vai sempre __________ o emprego às sete.
10—A Ana vai __________ a escola de autocarro.

Algumas Locuções Prepositivas

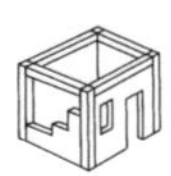

debaixo de

O gato está ***debaixo da*** mesa.

em cima de

O dicionário está ***em cima da*** mesa.

atrás de

à frente de

em frente de

O cinema fica ***em frente do*** Hotel Rex.

fora de

O cão está ***fora da*** casota.

dentro de

O gato está ***dentro do*** cesto.

perto de

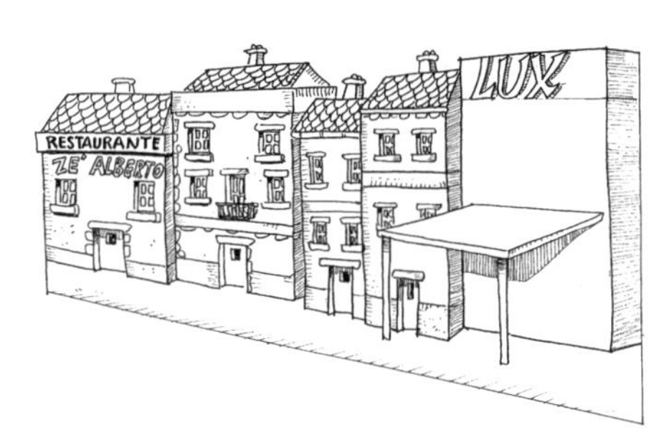

O restaurante Zé Alberto fica ***perto do*** teatro Lux.

longe de

O Parque fica ***longe da*** estação.

ao lado de

A farmácia Central fica ***ao lado da*** livraria Liceu.

PREPOSIÇÕES II

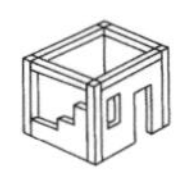

Complete as frases com as preposições e locuções prepositivas adequadas de acordo com o mapa.

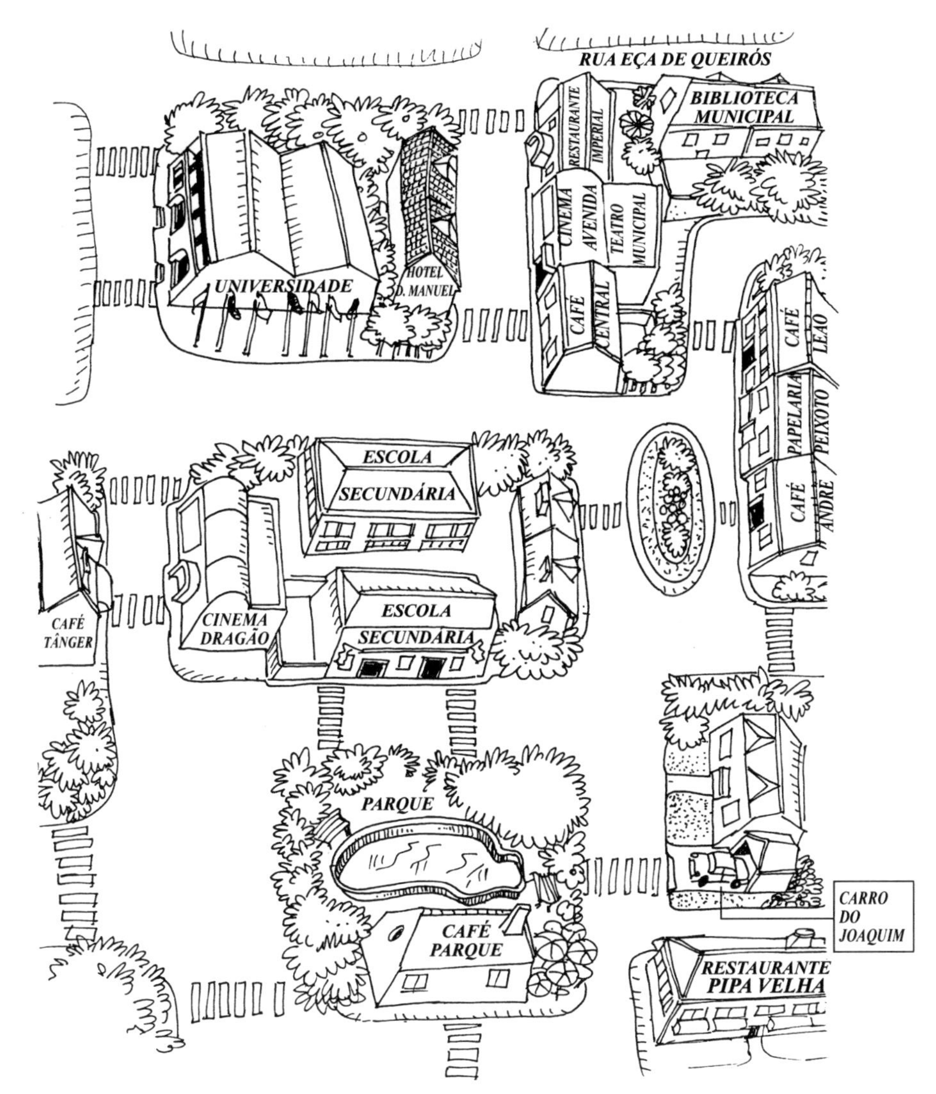

Ex.: O cinema Avenida fica_______________ o café Central.

O cinema Avenida fica ao lado do café Central.

1—O Cinema Avenida fica _______________ o Restaurante Imperial.

2—O restaurante Pipa Velha fica _______________ a Universidade.

3—A Escola Secundária fica _______________ o Hotel D. Manuel I.

4—O café Tânger fica mesmo _______________ o Cinema Dragão.

5—A papelaria Peixoto fica _______________ o café André e o café Leão.

6—O Teatro Municipal fica _______________ o Cinema Avenida.

7—O café do Parque fica _______________ o lago.

8—A biblioteca municipal fica _______________ a Rua Eça de Queirós.

9—O carro do Joaquim está _______________ a garagem.

10—_______________ o Parque, há um lago.

Alguns valores de algumas Preposições [10]

Apresentamos aqui alguns dos valores de algumas preposições.

A 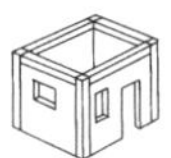

1 — Deslocação com estada/permanência curta
Ex.: Vou *a* Lisboa no fim de semana.
2 — Transporte
Ex.: Vou sempre *a* pé para o emprego. / Gosto muito de andar *a* cavalo.
3 — Horas
Ex.: O filme começa *às* 21h30.
4 — Partes do dia
Ex.: *À* tarde, dou sempre um passeio de bicicleta. / *À* noite, geralmente ouvimos música e lemos o jornal ou um livro.
5 — Ações habituais (com dias da semana)
Ex.: *Ao* sábado, vamos sempre ao cinema.

Alguns verbos seguidos de *a*:
chegar a: Ex.: Ontem eles chegaram *a* casa muito tarde.
ir a: Ex.: Em junho vamos *a* Paris.
vir a: Ex.: Queres vir *a* nossa casa?
voltar a: Ex.: O Jorge voltou *a* praticar desporto.

DE 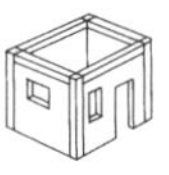

1 — Origem
Ex.: Sou *de* Lisboa. / Vim ontem *do* Brasil.
2 — Posse
Ex.: O livro *do* João. / O filho *da* Mariana.
3 — Localização no tempo
Ex.: Aonde vais nas férias *do* Natal? / No dia 5 *de* março vou a Londres.
4 — Duração
Ex.: Uma viagem *de* três meses. / Um curso *de* seis meses.
5 — Matéria
Ex.: Um copo *de* vidro. / Uma mesa *de* madeira.
6 — Recipiente/Conteúdo
Ex.: Um copo *de* água. / Um maço *de* cigarros.
7 — Objeto/função
Ex.: Máquina *de* lavar. / Carros *de* metal.
8 — Preço/Valor
Ex.: Uma nota *de* 50 euros. / Um carro *de* 25.000 euros.
9 — Quantidade
Ex.: Dois litros *de* leite. / Três horas *de* atraso.
10 — Medida
Ex.: Dois metros *de* altura.
11 — Meio de transporte (indeterminado)
Ex.: Vou *de* carro.

Alguns verbos seguidos de *de:*
gostar de: Ex.: Gosto muito *de* bolinhos de bacalhau!
esquecer-se de: Ex.: Esqueci-me *do* guarda-chuva em tua casa.
importar-se de: Ex.: Importa-se *de* fechar a janela?
lembrar-se de: Ex.: Lembras-te *do* Jorge Guedes?
precisar de: Ex.: Preciso *de* ir ao dentista.

---
[10] Ver o livro *Vamos lá Continuar!*, pp. 110-114.

EM 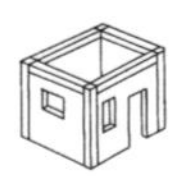

1 — Localização (espaço e tempo)
Ex.: Estamos *em* casa. / A pasta está *na* mesa. / Vou ao Porto *no* domingo. / *No* inverno chove muito.

2 — Meio de transporte (determinado)
Ex.: Vou *no* comboio das sete.

3 — Modo
Ex.: Vamos ler *em* voz alta.

4 — Transformação
Ex.: Partiu a mesa *em* duas.

Alguns verbos seguidos de *em:*
entrar em: Ex.: Entrou *na* sala e tirou o chapéu.
hesitar em: Ex.: Hesitou *em* levar o filho ao futebol.
pensar em: Ex.: Nós pensamos muito *em* vocês.

PARA 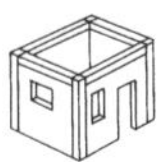

1 — Direção
Ex.: Vou *para* Lisboa.

2 — Deslocação com estada/permanência longa
Ex.: Vou *para* casa.

3 — Finalidade
Ex.: Estamos cá *para* te ver. / Este livro é *para* o Pedro. / Este remédio é *para* as dores de cabeça.

4 — Partido
Ex.: Este bolo é *para* vocês os três.

Alguns verbos seguidos de *para:*
contribuir para: Ex.: Isto contribuiu *para* melhorar a situação.
olhar para: Ex.: Ele olhou *para* a filha e não disse nada!
pedir para: Ex.: Pedi ao João *para* me ajudar.
preparar-se para: Ex.: Vamos preparar-nos *para* tempos difíceis!

POR 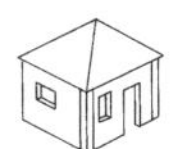

1 — Movimento impreciso
Ex.: Gosto de andar *pelas* ruas sem fazer nada.

2 — Agente da passiva
Ex.: Este foi o último livro escrito *por* Vergílio Ferreira.

3 — Causa
Ex.: Ele está zangado *por* não ter ido ao teatro.

4 — Modo
Ex.: Mandei a carta *pelo* correio.

5 — Passagem (através de)
Ex.: Saiu *pela* janela.

6 — Preço/valor
Ex.: Comprei o carro *por* 10.000 euros.

7 — Divisão/distribuição/multiplicação
Ex.: Multiplicar/dividir *por* cinco.
Ex.: Distribuiu os rebuçados *pelos* irmãos.

8 — O sentimento, a pessoa,... que levam à realização da ação
Ex.: Fiz isto *pelo* Pedro./Fizemos isto *por* amizade.

9 — Agradecimento
Ex.: Obrigado *por* tudo.

Alguns verbos seguidos de *por:*
apaixonar-se por: Ex.: O Paulo apaixonou-se *por* uma rapariga muito mais nova do que ele!
esperar por: Ex.: Eu esperei *por* vocês à porta do cinema.
passar por: Ex.: Ainda tenho de passar *pelo* supermercado.
perguntar por: Ex.: O professor perguntou *pelo* João mas ninguém respondeu!

COM 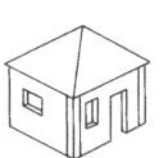

1 — Companhia
Ex.: Vou estudar *com* a Joana.

2 — Causa
Ex.: *Com* esta chuva, não vou sair logo à noite.

3 — Modo
Ex.: O público aplaudiu o conferencista *com* entusiasmo.

Alguns verbos seguidos de *com:*
andar com: Ex.: O Jorge anda muito *com* a Sara.
concordar com: Ex.: Não concordo *com* o Paulo.
contar com: Ex.: Não estava a contar *com* esta situação.
estar com: Ex.: A Ana está *com* a diretora de turma.
sonhar com: Ex.: Esta noite sonhei *com* a Helena.

PREPOSIÇÕES III

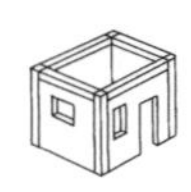

Escolha a preposição adequada: ***em, a, de, a, para.***

Exemplo:

O Jorge vai	para na ***a***	Inglaterra. Regressa na segunda-feira.	 *X*
1 — Hoje o meu irmão está	na em a	Lisboa.	
2 — Ele vai	para a em	Paris. Volta no sábado.	
3 — Este carro é	de do para	Pedro.	
4 — A Ana trabalha	na em para	TAP.	
5 — Logo vou jantar	da para a	casa da Ana.	
6 — O Hugo é	de no do	Porto.	
7 — Ele trabalha imenso	a para em	ganhar mais dinheiro.	
8 — Ele está a almoçar	para em a	casa da Joana.	
9 — Tu vais para o emprego	no em de	carro?	
10 — O Jorge vem	de no em	carro do Paulo.	

PREPOSIÇÕES IV

Complete as frases seguintes com as preposições *em, a, para, de, com,* fazendo as transformações necessárias.

Ex.: Quando vou ________ Lisboa, vou sempre ________ comboio.

Quando vou __a__ Lisboa, vou sempre __de__ comboio.

1—________ ano passado, nós fomos ________ a Madeira e ficámos ________ um hotel mesmo ________ a beira-mar.

2—________ os sábados vou sempre ________ o cinema ________ a Manuela.

3—Eu vou estar ________ o estrangeiro ________ o dia 7 ________ o dia 23 ________ março.

4—________ o próximo fim de semana, vou ________ Paris. Quero ir ________ umas exposições e ________ um concerto.

5—________ o próximo domingo, vamos jantar ________ casa ________ a Joana.

6—________ a noite costumo tomar um chá quente.

7—Geralmente a Luísa vai ________ o emprego ________ autocarro mas ________ as vezes vai ________ pé.

8—A d. Sara costuma ir à missa ________ manhã mas ________ fim ________ semana, vai ________ tarde.

9—Quando vou ________ a biblioteca buscar livros, costumo encontrar o João Luís.

10—O Henrique está ________ o escritório a falar ________ o dr. Fernandes.

PREPOSIÇÕES V

Complete as frases seguintes com as preposições *em, a, para, de, por, com,* fazendo as transformações necessárias.

Ex.: A carpete que eles têm________ a sala fica muito bem________ aquele sítio.

A carpete que eles têm __na__ sala fica muito bem __naquele__ sítio.

1—O meu irmão vai ________ Londres ________ a Páscoa. Vai ________ a mulher e o filho. Vão ________ avião. Chegam ________ o dia 10 ________ as 7 horas ________ a manhã.

2—________ o sábado passado, fui ________ um concerto ________ música clássica ________ a Casa da Música.

3—Vais ________ o cinema logo ________ a noite?

4—________ a próxima rua, o senhor vira ________ a direita. Depois de andar uns vinte metros, vira ________ a esquerda.

5—Quando o João vai ________ o estrangeiro, traz sempre uma prenda ________ os filhos.

6—________ vez ________ quando, vou passear ________ a beira-mar mesmo ________ o inverno.

7—O Jorge tem muitos amigos ________ o Brasil e este ano vai ficar ________ casa ________ uns amigos ________ Recife.

8—Sempre que posso, vou ________ o cinema ________ a quarta-feira.

9—Quando passo ________ casa da d. Alice, subo sempre ________ o primeiro andar. Vou sempre ________ as escadas.

10—Ontem escrevi ________ a Paulinha que está ________ a Alemanha. Foi ________ lá ________ o ano passado.

PREPOSIÇÕES VI

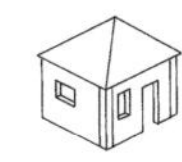

Complete as frases com as preposições deste quadro.

até	em	sobre
com	entre	para
contra	sem	perante
desde	sob	por

Ex.: Ele está cá__________ o ano passado.

Ele está cá desde o ano passado.

1—Como podia ela defender-se __________ argumentos tão fortes?

2—A senhora deseja o chá __________ ou __________ açúcar?

3—Os miúdos ficaram lá __________ à meia-noite mas foi __________ a minha vontade.

4—Diz-se que __________ a Guerra tinha trabalhado __________ a contraespionagem.

5—A Elsa vive __________ os tios __________ a infância.

6—__________ um tal dilema, que decisão havíamos de tomar?

7—Este festival realiza-se __________ os auspícios do Ministério da Cultura.

8—O dr. Lopes falou __________ a importância da Internet no desenvolvimento da economia.

9—__________ eles nunca tinha havido nenhum problema. Desde que eles vieram, os problemas sucedem-se!

10—Eles estão desorientados __________ tantos problemas.

VAMOS LÁ RECAPITULAR! 6

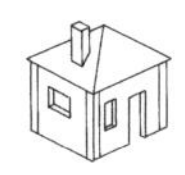

Complete esta carta com as palavras adequadas:

Querida filha,

Como (1) ______________ (passas/passou/tem passado/tens passado)? Há (2) ______________ (muita/tanto/muito/tão) tempo que não te (3) ______________ (escrevi/escrevo/ /escreveu/tenho escrito) porque, como te (4) ______________ (disse/digo/diga/direi) (5) ______________ (com/ao/pelo/no) telefone, ultimamente (6) ______________ (o teu/o seu/teu/seu) pai (7) ______________ (andou/andará/tem andado/andava) com (8) ______________ (tão/muitos/muitas/tantos) problemas de saúde. Já (9) ______________ (tem ido/foi/fui/vai) (10) ______________ (uns/umas/um/uma) cinco vezes (11) ______________ (pelo/para/ao/à) médico mas ainda não (12) ______________ (melhora/melhorara/melhorará/melhorou). Ele continua (13) ______________ (em/a/para/de) trabalhar mas (14) ______________ (mais/menos/muito/pouco) do que (15) ______________ (trabalhara/trabalhava/trabalhou/ /trabalha) antes. Sabes que ele não pode passar (16) ______________ (com/sem/em/para) ir trabalhar e isso é (17) ______________ (bom/ótimo/melhor/muito) (18) ______________ (a/por/para/com) ele porque, assim, (19) ______________ (distraiu-se/distraía-se/distrai-se/distraia-se).

(20) ______________ (sua/o teu/vossa/a tua) mãe,

Margarida

VAMOS LÁ RECAPITULAR! 7 

O Fernando Cunha candidatou-se a um emprego e foi chamado para uma entrevista. Complete-a:

Sr. Ernesto Fernandes: (1) ______________ (há/desde/para/até) quando trabalhou (2) ______________ (na/em/no/para) empresa *Facas & Companhia?*

Fernando Cunha: (3) ______________ (até/em/para/de) dezembro de 2001.

Sr. Ernesto Fernandes: (4) ______________ (em qual/em que/para qual/de que) empresa trabalhou antes?

Fernando Cunha: Trabalhei (5) ______________ (na/em/para/numa) empresa (6) ______________ (de/da/no/do) sector têxtil. Chama-se Têxtil Lopes.

Sr. Ernesto Fernandes: (7) ______________ (qual/quem/quanto/que) tipo de empresa é?

Fernando Cunha: É uma pequena empresa (8) ______________ (das/dos/de/nas) confeções.

Sr. Ernesto Fernandes: (9) ______________ (qual/quais/que/a que) é a sua opinião (10) ______________ (sob/sobre/em/por) essa empresa?

Fernando Cunha: Tenho uma opinião positiva. Está (11) ______________ (a/em/para/de) fazer a informatização (12) ______________ (das/de/nos/dos) meios de produção e (13) ______________ (em/de/para/por) todo o sector administrativo.

Sr. Ernesto Fernandes: É de (14) ______________ (maior/menor/igual/grande) dimensão (15) ______________ (da que/das que/de que/do que) a *Facas & Companhia,* não é?

Fernando Cunha: Sim, sim. Tem (16) ______________ (umas/os/as/uns) 200 empregados e a *Facas & Companhia* tem (17) ______________ (menos de/melhor do que/mais de/mais do que) 400.

Sr. Ernesto Fernandes: Muito bem. Vou pedir-lhe (18) ______________ (por/de/para/com) esperar (19) ______________ (até/pela/por/para a) nossa decisão que lhe será comunicada (20) ______________ (depois/dentro/antes/até) ao fim do mês.

Fernando Cunha: Muito obrigado.

SOLUÇÕES DOS EXERCÍCIOS

Artigo Definido I
1—A
2—Os
3—A
4—O
5—O
6—As
7—Os
8—Os
9—O
10—A

Artigo Definido II
1—O
2—A
3—A
4—A
5—O
6—A
7—Os
8—A
9—Os
10—O

Artigo Definido III
1—O/da
2—O/do/o/da
3—O/do
4—A/da
5—A/do
6—O/do/do
7—A/o/da
8—Os/do
9—A/do
10—A/do/da

Artigo Definido IV
1—O
2—o
3—O
4—na
5—às
6—às
7—no
8—da
9—ao
10—O
11—do
12—do
13—No
14—nas
15—do

Artigo Definido V
1—no/_
2—O/do/_
3—_/a/_
4—_
5—O/das
6—_/na/_
7—_/_
8—O/_
9—_/ao
10—O/_

Artigo Indefinido I
1—um
2—uma
3—um
4—uma
5—uma
6—uma
7—um
8—uma
9—uma
10—uma

Artigo Indefinido II
1—uns
2—umas
3—Uma
4—uma
5—um
6—uns
7—umas
8—uns
9—um
10—uns

Artigo Indefinido III
1—uma
2—__
3—uma
4—uns
5—um
6—uns
7—__
8—uns
9—uma
10—__
11—__
12—uns
13—uma
14—umas
15—uma

Nacionalidade I
1—francesa; franceses
2—inglês; ingleses
3—espanhol; espanhóis
4—brasileiro; brasileira
5—italiano; italiana
6—americano; americanos
7—alemão; alemã
8—sueco; sueca
9—grego; grega
10—cabo-verdiana; cabo-verdiano

Nacionalidade II
1—russo
2—argentinos
3—suíço
4—belga
5—marroquinos
6—húngara
7—angolanos
8—dinamarquês
9—guineense
10—polaca

Nacionalidade e profissão I
1—A Josefa é uma professora espanhola.
2—A Luísa e a Fernanda são estudantes portuguesas.
3—A Li é uma médica chinesa.
4—A Celina é uma engenheira angolana.
5—A Sofia é uma jornalista grega.
6—A Petra é uma escritora alemã.
7—A Irina é uma advogada russa.
8—A Sophie é uma atriz de cinema francesa.
9—A Jane é uma economista americana.
10—A Elizabeth e a Petra são empresárias alemãs.

Nacionalidade e profissão II
1—portuguesa
2—estudante
3—engenheira informática
4—técnica de *marketing*
5—professores
6—português
7—espanhola

Masculino-Feminino I

1 — A caneta é vermelha.
2 — A esferográfica é amarela.
3 — A borracha é redonda.
4 — A casa é alta.
5 — A Ana é bonita.
6 — A Joana é estudiosa.
7 — A Luísa é inteligente.
8 — A canção é interessante.
9 — A carne é excelente.
10 — A Júlia está sempre atenta.

Masculino-Feminino II

1 — A mulher é elegante.
2 — A rapariga é filha da tua tia?
3 — A égua da menina é muito calma.
4 — A avó da menina é atriz.
5 — A diretora é mãe da jornalista.
6 — A nora da marquesa é alemã.
7 — A avó da madrinha é poetisa.
8 — A atriz espanhola era melhor do que a inglesa.
9 — A Rainha de Espanha é muito desportista.
10 — A arquiteta é apreciadora de ópera.

Masculino-feminino III

1 — cara
2 — boa
3 — comum
4 — útil
5 — cristã
6 — infeliz
7 — jovem
8 — inteligente
9 — alemã
10 — real

Masculino-feminino IV

1 — b
2 — k
3 — m
4 — n
5 — f
6 — d
7 — o
8 — h
9 — g
10 — j
11 — l
12 — e
13 — a
14 — c
15 — i

Singular-Plural I

1 — Os meus filhos são bonitos.
2 — As mesas são grandes.
3 — Os computadores são novos.
4 — Os meus gatos são pretos.
5 — As canetas são amarelas.
6 — Os sofás são antigos.
7 — As cadeiras são modernas.
8 — As portas são castanhas.
9 — Os atores são fantásticos.
10 — As janelas são enormes.

Singular-Plural II

1 — Os jornais estão em cima da mesa.
2 — Os irmãos dos professores são comerciantes.
3 — Os patrões dos meus primos são alemães.
4 — Os rapazes das mochilas são sobrinhos dos donos dos quiosques.
5 — Os avós gostam muito dos nossos pães.
6 — Os cães são dos meus primos.
7 — Os aviões são rápidos.
8 — Estas canções populares são antigas.
9 — Os jardins das casas das mães são enormes.
10 — As televisões das salas são maiores do que as dos quartos.

Singular-Plural III

1 — Estes anéis são das mães?
2 — As mulheres alemãs são guias turísticas?
3 — Estes jornais desportivos são melhores do que aqueles.
4 — Aqueles países são especiais.
5 — Os cães dos capitães são dóceis.
6 — Os homens dos chapéus azuis são terríveis.
7 — As blusas das minhas irmãs são azuis.
8 — Estes lápis amarelos são bons.
9 — Os teus amigos alemães estão nos hotéis?
10 — As intervenções deles são úteis.

Singular-Plural IV

1 — Estes porta-moedas são dos Joões.
2 — Aqueles cãezinhos são dos senhores capitães.
3 — Estas aguardentes são dos meus tios-avós.
4 — Os guarda-chuvas são dos senhores cônsules.
5 — Os avós vêm aos fins de semana.

Vamos lá recapitular! 1

1 — a
2 — jovens
3 — portugueses
4 — uma
5 — antiga
6 — conhecida
7 — maravilhosos
8 — palácios
9 — castelos
10 — A
11 — pequena
12 — bonita
13 — pais
14 — professores
15 — Secundária
16 — O
17 — a
18 — irmã
19 — na
20 — A
21 — na
22 — gestora

Numerais I

a) oitenta e oito
b) vinte e seis
c) oitenta e cinco
d) sessenta
e) quatro
f) sessenta e oito
g) doze
h) noventa e sete
i) trinta e nove
j) cento e vinte e cinco

Numerais II

a) sétimo
b) vigésimo quarto
c) trigésimo
d) décimo
e) sexto
f) terceiro
g) oitavo
h) décimo nono
i) décimo segundo
j) quarto

Numerais III

1—(O Jorge) tem doze (anos).
2—É o dois, um, quatro, cinco, cinco, seis, nove, oito, nove.
3—O João tem doze e a Ana tem quinze.
4—Tem três.
5—Estão treze.
6—São seis e cinco.
7—Custa duzentos e vinte e cinco euros.
8—Custa dezasseis mil euros.
9—(Estou em Lisboa) há vinte e seis (anos).
10—(Mede) um metro e setenta e oito.

Indicativos telefónicos

1—O indicativo telefónico de Portugal é o zero, zero, trezentos e cinquenta e um (zero, zero, três, cinco, um).
2—O indicativo telefónico de França é o zero, zero, trinta e três (zero, zero, três, três).
3—O indicativo telefónico de Aveiro é o dois, três, quarto.
4—O indicativo telefónico de Cambridge é o mil duzentos e vinte e três (um, dois, dois, três).
5—O indicativo telefónico de Manchester é o cento e sessenta e um (um, seis, um).
6—O indicativo telefónico de Moçambique é o zero, zero, duzentos e cinquenta e oito (zero, zero, dois, cinco, oito).
7—O indicativo telefónico de Munique é o oitenta e nove (oito, nove).
8—O indicativo telefónico do Porto é o dois, dois.
9—O indicativo telefónico de Évora é o dois, seis, seis.
10—O indicativo telefónico de Coimbra é o dois, três, nove.

Possessivos I

1—A minha casa.
2—O teu pai.
3—O livro dele.
4—O filho dela.
5—O vosso primo.
6—A sua casa.
7—O seu casaco.
8—As vossas filhas.
9—A nossa filha.
10—A escola dela.

Possessivos II

1—é meu
2—seu
3—dela
4—os dele
5—Os meus livros
6—Os filhos deles
7—O teu carro
8—A vossa casa
9—o seu carro
10—a minha quinta

Possessivos III

1—teu livro/meu livro
2—nossas
3—casa dele
4—dele
5—seu carro/meu carro
6—sua
7—meus
8—meus/meu
9—minha/casa dela
10—dele

Possessivos IV

1—meus
2—teu
3—dele
4—seu
5—vosso
6—deles
7—minhas
8—deles
9—nossas
10—sua

Possessivos V

1—teu
2—dela
3—dele
4—vossa
5—sua
6—meu
7—teu
8—vossos
9—sua
10—vossas

Demonstrativos I

1—Aquela
2—Esta
3—Este
4—Esse
5—Aquele
6—Esses
7—Estes
8—Estas
9—Aqueles
10—Essas

Demonstrativos II

1—Aquilo
2—Isto
3—Isto
4—Aquilo
5—Isto
6—Isso
7—Isto
8—Isso
9—Aquilo
10—Isto

Demonstrativos III

1—Está aí. É essa.
2—Estão aqui. São estas.
3—Está ali. É aquele.
4—Está ali. É aquele.
5—Está ali. É aquele.
6—Está aí. É esse.
7—Está aqui. É este.
8—Está ali. É aquele.
9—Estão ali. São aqueles.
10—Estão ali. São aquelas.

Demonstrativos IV
1 — Aquele/Este
2 — aquilo/Aquilo
3 — aqueles
4 — Esta
5 — desse
6 — esse
7 — daquela
8 — daquele
9 — aquele
10 — Naquele

Demonstrativos V
1 — Aquela
2 — esta
3 — Esta
4 — aquela
5 — Aquela
6 — aquela

Vamos lá recapitular! 2
1 — colega
2 — engenheiro
3 — numa
4 — Viseu
5 — Os
6 — dele
7 — simpáticos
8 — cinco
9 — francês
10 — espanhóis
11 — alemães
12 — moderna
13 — essa
14 — dez milhões

Graus dos Adjetivos I
1 — maior do que aquele
2 — menos rápido do que este
3 — o maior
4 — mais velha do que
5 — melhor do que
6 — pior do que
7 — melhores do que
8 — tão grande como
9 — tão crescido como
10 — mais antigas

Graus dos Adjetivos II
1 — mais bonito/o mais bonito
2 — maior/a maior
3 — melhor/o melhor
4 — pior/o pior
5 — mais barulhento/a turma mais barulhenta
6 — mais confortável/é o mais confortável
7 — mais espaçosa/a divisão mais espaçosa
8 — mais pesada/a mais pesada
9 — mais gordo/o aluno mais gordo
10 — mais elegante/a aluna mais elegante

Graus dos Adjetivos III
1 — Portugal não é tão grande como a Espanha.
2 — O João não é tão trabalhador como ele.
3 — O frango não está tão quente como a sopa.
4 — O Pedro não é tão alto como o Jorge.
5 — A Joaninha não é tão estudiosa como a Ana.
6 — A tua casa não é tão espaçosa como a minha.
7 — A Paula não é tão boa aluna como a Carla.
8 — O irmão da Paula não é tão baixo como ela.
9 — O Pedro não é tão pesado como o João.
10 — O Zé não é tão trabalhador como a Margarida.

Graus dos Adjetivos IV
1 — É fortíssimo.
2 — É lindíssimo.
3 — É giríssima.
4 — São riquíssimos.
5 — É ótimo.
6 — É fraquíssima.
7 — É péssima.
8 — É dificílimo.
9 — Tem um carro caríssimo.
10 — Anda aborrecidíssimo.

Vamos lá recapitular! 3
1 — mãe
2 — lindíssima
3 — históricos
4 — muito antigos/antiquíssimos
5 — dos
6 — muito modernas
7 — mais moderna
8 — muito polémico
9 — Europeia
10 — rica
11 — Antiga
12 — Tentações
13 — fabulosa
14 — histórica
15 — esta
16 — dela
17 — disponíveis
18 — sua
19 — simpáticos

Como te chamas?
1 — chamas/chamo-me
2 — chamas-te/chamo-me/Chama-se Joana.
3 — se chama/Chama-se José Carlos./Como é que ela se chama?/Chama-se Ana.
4 — chama/Como se chama?/chamo-me José Fernandes.
5 — chama-se/chamo-me (Jorge).
6 — Chamo-me Mariana./Como é que ela se chama?/ Chama-se Fernanda.
7 — se chama/Chama-se Maria João.
8 — Ela chama-se Filomena?/chama-se Margarida.
9 — Chamo-me Joana Torres.
10 — Como é que o senhor se chama?/Chamo-me João Vasconcelos.

Verbo ser
1 — és/sou/sou/sou
2 — é/é
3 — é/sou/sou
4 — é/é/é/é (belga.)/(Eu) sou
5 — são/são
6 — são/somos
7 — são/somos suíços
8 — são/são engenheiros
9 — és/sou
10 — São/somos/somos

Verbo TER
1 — tens/tenho/tenho
2 — tem
3 — tem/tenho
4 — tem/tem
5 — têm/têm
6 — têm/temos
7 — têm/temos
8 — têm
9 — tens/tenho
10 — têm/temos

VERBO ESTAR
1 — estás/estou/estou
2 — está
3 — está/estou
4 — está/está
5 — estão/estão
6 — estão/Estamos
7 — está/estou
8 — estás/estou/estou
9 — estás/estou/estou
10 — estão/estamos

SER E ESTAR I
1 — é
2 — estão
3 — está
4 — está
5 — é
6 — está
7 — está
8 — é
9 — é
10 — é

SER e ESTAR II
1 — estás
2 — são
3 — é
4 — está
5 — está
6 — é
7 — está/está
8 — está
9 — é
10 — são

SER, ESTAR e FICAR I
1 — está
2 — fica
3 — fica (é)
4 — é
5 — está/está
6 — está/estar
7 — é/está
8 — fica
9 — estou
10 — fico

SER, ESTAR e FICAR II
1 — está
2 — está
3 — estão/estão
4 — está/Está
5 — fico
6 — é
7 — está/está
8 — é/É/é/É
9 — é/É/é
10 — fico

VERBO IR
1 — vais
2 — vamos
3 — vão
4 — vai
5 — vão
6 — vai
7 — vão
8 — vai
9 — vou
10 — vais

PRESENTE DO INDICATIVO I
1 — moro/moram/mora
2 — trabalha/trabalhamos/trabalham
3 — praticam/praticamos
4 — gosto/gosta
5 — fala/falo/falam/falamos
6 — estuda/estudam
7 — acabam
8 — começa
9 — ocupas
10 — deita (-se)

PRESENTE DO INDICATIVO II
1 — comemos
2 — vivem/vive
3 — bebe
4 — come
5 — como
6 — defende
7 — recebem/recebemos
8 — percebes/percebo
9 — bebem
10 — compreende

PRESENTE DO INDICATIVO III
1 — partem
2 — decides
3 — permito
4 — preferimos
5 — sente
6 — veste (-se)
7 — mede
8 — parte
9 — dormimos
10 — dorme

PRESENTE DO INDICATIVO IV
1 — leio/lê/lê
2 — moram/mora
3 — tem
4 — corre
5 — como
6 — faz/faço
7 — canta
8 — tocas/toco
9 — vão/vamos
10 — conheço

PRESENTE DO INDICATIVO V
1 — vê
2 — saímos/saem
3 — comemos/bebemos
4 — passeiam
5 — traz
6 — há
7 — Queres
8 — ouço/ouves
9 — visto (-me)
10 — Parece/chega

PRESENTE DO INDICATIVO VI
1 — chamo-me
2 — sou
3 — Tenho
4 — sou
5 — Vivo
6 — são
7 — são
8 — Têm
9 — sabem
10 — querem

PRESENTE DO INDICATIVO VII
1 — Geralmente, o Fernando acorda às sete horas.
2 — Levanta-se.
3 — Vai à casa de banho, toma banho.
4 — E faz a barba.
5 — Às oito horas, toma o pequeno-almoço.
6 — Toma geralmente café com leite.
7 — Come pão com manteiga ou com queijo e doce.
8 — Às oito e meia, apanha o autocarro para a Universidade.
9 — Costuma ir no n.º 78.
10 — Às nove horas, começam as aulas. (As aulas começam às nove.)
11 — Ele anda em Economia.
12 — Ao meio-dia e meia, almoça na cantina com alguns colegas.
13 — Depois vai ao café tomar uma bica. (vão ao café)
14 — Às duas e meia voltam para a Universidade.
15 — Às quatro horas, quando não tem aulas, estuda na biblioteca. (vai estudar para a biblioteca)
16 — Às sete horas, vai para casa fazer o jantar.
17 — Come carne ou peixe e bebe um copo de sumo ou uma água.
18 — Depois de jantar, às vezes vai ao cinema com alguns amigos.
19 — Geralmente deita-se antes da meia-noite.

PRETÉRITO PERFEITO SIMPLES I
1—jantei
2—passeámos
3—almocei
4—comprei
5—jantou
6—conversámos
7—trabalharam
8—almoçou
9—gostámos
10—estudaram

PRETÉRITO PERFEITO SIMPLES II
1—comemos
2—percebeu
3—vivi
4—perdemos
5—perceberam
6—leram
7—escreveu
8—compreendi
9—vivemos
10—leste

PRETÉRITO PERFEITO SIMPLES III
1—saiu
2—ouviste
3—fugiu
4—mentiu
5—preferimos
6—senti
7—aderimos
8—saíram
9—ouvimos
10—parti

PRETÉRITO PERFEITO SIMPLES IV
1—comi
2—perdeu
3—acabei
4—apanhei
5—sentimos
6—almoçaram
7—estudaram
8—bebeu
9—comeste
10—marcou

PRETÉRITO PERFEITO SIMPLES V
1—demos
2—vi
3—quiseram
4—vimos
5—deram
6—viste
7—viram
8—foram
9—soube/teve
10—pusemos

PRETÉRITO PERFEITO SIMPLES VI
1—fui
2—passearam/Apareceu/deram
3—vieram/Trouxeram
4—fiz/acordei/tive
5—houve
6—vestiu-se/teve/pôs
7—quis
8—leu/emprestei
9—vi
10—estivemos

PRETÉRITO PERFEITO SIMPLES VII
1—A Luísa acordou às oito horas.
2—Levantou-se.
3—Tomou banho.
4—Pintou-se.
5—Às oito e meia, tomou o pequeno-almoço com o marido e o filho. Ela e o filho tomaram leite com flocos.
6—Às nove, ela apanhou o metro. Ele foi de carro e levou o filho à escola.
7—Às nove e meia, entrou na loja de roupa onde trabalha.
8—Ao meio-dia e meia, almoçou com uma amiga.
9—Na loja falou com uma cliente conhecida./Na loja, atendeu uma cliente.
10—Às cinco horas, lanchou com uma amiga.
11—Às sete e meia, saiu do emprego.
12—Apanhou o metro.
13—Foi ao supermercado.
14—No supermercado, encontrou uma vizinha.
15—Às oito e meia, entrou em casa.
16—O marido fez o jantar.
17—Ela deu banho ao filho.
18—O marido pôs a mesa.
19—Depois, jantaram com o filho na cozinha.
20—O marido deitou o filho.
21—Depois, viram televisão.
22—Ela leu um livro.
23—Deitaram-se à meia-noite.

PRESENTE DO INDICATIVO/PRETÉRITO PERFEITO SIMPLES I
1—é/foi
2—fomos/vamos
3—esteve/está
4—veio/vai
5—demos/damos
6—vivo/vivi
7—tivemos/temos
8—li/leio
9—vieram/vem
10—tivemos

PRESENTE DO INDICATIVO/PRETÉRITO PERFEITO SIMPLES II
1—tiveram
2—temos
3—vou/foi
4—viu/vejo
5—veio
6—telefonei
7—vieram/trouxeram (-nos)
8—são/excederam (-se)
9—estiveste/estou
10—percebeu/quis

PRESENTE DO INDICATIVO/PRETÉRITO PERFEITO SIMPLES III
1—fomos/vamos
2—saí/fui
3—foi
4—comprou/Foram
5—foram
6—vi
7—foste/fui/vi/ficou
8—leram
9—foram/vou
10—leu

PRESENTE DO INDICATIVO/ /PRETÉRITO PERFEITO SIMPLES IV

1 — vai
2 — atrasou (-se)
3 — teve
4 — trabalha
5 — esteve
6 — Atendeu
7 — saiu
8 — foi
9 — encontrou
10 — Bebeu
11 — falou
12 — voltou
13 — fez
14 — viu
15 — leu
16 — deitou (-se)

PRETÉRITO IMPERFEITO DO INDICATIVO

1 — jogava
2 — vinha
3 — morava/tinha
4 — eras/fazias/estavas
5 — andávamos
6 — eram/costumavam
7 — custava
8 — usavam/eram
9 — chegava/punha
10 — saía

PRESENTE DO INDICATIVO/ /PRETÉRITO IMPERFEITO INDICATIVO

1 — Na semana passada estava a trabalhar na empresa.
2 — No ano passado davam muitos passeios no campo.
3 — Dantes tocava bateria.
4 — No ano passado, queria ir viver para a cidade.
5 — Dantes tinha um.
6 — Dantes vinha de carro.
7 — Dantes punha o carro na rua.
8 — Antigamente saía às 8h30.
9 — Dantes comiam em casa deles.
10 — Há 20 anos era de 2%.

PRESENTE INDICATIVO/ /PRETÉRITO IMPERFEITO/ /PRETÉRITO-PERFEITO I

1 — ia/vou/É
2 — almoçava/almoço
3 — vinham/davam
4 — fazia/vai
5 — emprestei/gostei
6 — sentia (-me)/percebi
7 — era/era/é
8 — costumavam/vão
9 — estive/esteve
10 — estávamos/teve

PRESENTE INDICATIVO/ /PRETÉRITO IMPERFEITO/ /PRETÉRITO-PERFEITO II

1 — esteve/anda
2 — deram/fiquei/estou
3 — veio
4 — estava/passa
5 — li/impressionou
6 — sentia/sinto
7 — vimos/Continua
8 — costumávamos/vamos
9 — dava/dou
10 — vínhamos/surgiu

PRETÉRITO PERFEITO COMPOSTO

1 — Esta semana tenho estudado em casa.
2 — Nos últimos anos, temos passado as férias no campo.
3 — Este mês tem ficado em casa.
4 — Este ano não tens ido.
5 — Hoje tenho estado todo o dia em casa.
6 — Este verão, a Joana tem passeado no campo.
7 — Este ano, têm trabalhado pouco.
8 — Esta semana, temos saído todos os dias.
9 — Esta semana, têm ficado em casa.
10 — Este ano tenho feito poucos.

PRETÉRITO PERFEITO SIMPLES/PRETÉRITO PERFEITO COMPOSTO I

1 — foi
2 — temos visto
3 — esteve
4 — passeámos
5 — tem faltado
6 — têm tido
7 — vieram
8 — entregou
9 — estivemos
10 — tenho visto

PRETÉRITO PERFEITO SIMPLES/PRETÉRITO PERFEITO COMPOSTO II

1 — tem vindo
2 — temos trabalhado
3 — sentiu (-se)
4 — foi
5 — deu
6 — foram
7 — saí
8 — temos visto
9 — fez
10 — insistiram/decidiu

PRETÉRITO PERFEITO SIMPLES/PRETÉRITO MAIS-QUE-PERFEITO COMPOSTO

1 — pôde
2 — tinha acontecido
3 — tinham desaparecido
4 — Tinham assaltado
5 — tinham entrado
6 — tinham forçado
7 — parou
8 — telefonou
9 — chegou
10 — tinham roubado

PRETÉRITO PERFEITO SIMPLES/PRETÉRITO PERFEITO COMPOSTO/PRETÉRITO MAIS-QUE- -PERFEITO

1 — temos tido/tivemos
2 — fomos/temos ido
3 — tinha começado/chegou
4 — tínhamos perdido/perdemos
5 — tinha adormecido/entrou
6 — percebemos/tinha feito
7 — têm faltado/tinham faltado
8 — acendeu/apercebeu (-se)/tinha acontecido
9 — apresentou/perguntaram/tinham passado
10 — tenho ido/fui

PRETÉRITO MAIS-QUE-PERFEITO SIMPLES

1 — O presidente já avisara dos perigos desta situação.
2 — O Governo já fora avisado de que esta situação poderia ocorrer.
3 — Nós já disséramos aos portugueses que era necessário prepararem-se para esta situação.
4 — A Europa não pusera quaisquer limites à exportação de carne de vaca.
5 — O Ministro da Educação já fizera o aviso mas os estudantes não o ouviram.

Expressão do Futuro I

1 - 3 - 4 - 5 - 6 - 8 - 10

Expressão do Futuro II

1 — hei de ir
2 — Hás de fazer
3 — vou
4 — almoças
5 — fará
6 — Será
7 — havemos de vir
8 — jantas
9 — hei de passar
10 — chega

Pretérito Imperfeito do Indicativo/Condicional

1 — Achas que eles gostariam de vir jantar a nossa casa?
2 — Serias capaz de me explicar isto?
3 — Gostaria de saber o que ele tem para dizer.
4 — O diretor pensaria apresentar o projeto antes das férias.
5 — Tu dirias à professora que faltaste à aula porque não te apeteceu vir?
6 — Se ele pudesse, poria os filhos a estudar num colégio particular.
7 — Achas que a filha dele estaria mesmo doente?
8 — O Paulo não faria uma coisa dessas!
9 — Achas que o Pedro traria a namorada?
10 — A diretora não despediria as funcionárias sem ouvir a opinião do subdiretor.

Presente do Conjuntivo I

1 — b
2 — b
3 — a
4 — b
5 — d
6 — a
7 — d
8 — b
9 — d
10 — d

Presente do Conjuntivo II

1 — Embora o João estude muito, nunca teve mais de 14 valores.
2 — Talvez ele telefone logo à noite.
3 — É possível que traga uma prenda aos meninos.
4 — É indecente que eles façam sempre muito barulho.
5 — Mesmo que a Ana não goste da ideia, eu vou avançar com a proposta.
6 — Esperamos que os avós venham cá passar o fim de semana.
7 — É triste que o processo acabe desta maneira.
8 — Oxalá o João chegue a tempo de ver o avô.
9 — É provável que nós estejamos com eles no domingo.
10 — É importante que vocês compreendam a nossa situação.

Imperativo I

1 — b
2 — b
3 — b
4 — b
5 — b
6 — a
7 — a
8 — c
9 — b
10 — b

Imperativo II

1 — vire
2 — corte
3 — Vá
4 — atravesse
5 — olhe

Vamos lá recapitular! 4

1 — Diz (-me)
2 — tens passado
3 — Tenho passado
4 — continuas
5 — gosto
6 — encontrei
7 — estás
8 — Estou
9 — É
10 — vi
11 — estavas
12 — estava
13 — Apresentámos
14 — Foi
15 — está
16 — teve
17 — Melhorou
18 — foi
19 — É
20 — Fez
21 — emagreceu
22 — Fico
23 — tenho
24 — vou dar
25 — Gostei

Pronomes e Advérbios Interrogativos I

1 — Qual
2 — quantos
3 — Qual
4 — Donde
5 — Qual
6 — Onde
7 — Quantos
8 — Como
9 — Quais
10 — Qual

Pronomes e Advérbios Interrogativos II

1 — Quem
2 — Quando
3 — Onde
4 — Qual
5 — O que
6 — Qual
7 — Quantas
8 — Quantos
9 — Quais
10 — Quanto

Pronomes e Advérbios Interrogativos III

1 — G
2 — I
3 — A
4 — H
5 — D
6 — L
7 — B
8 — E
9 — F
10 — C

Pronomes e Advérbios Interrogativos IV

1—Há quanto tempo está(s) em Portugal?
2—Para onde vai(s)?
3—Com quem gosta(s) de passear?
4—Em que hotel estão?
5—Qual é a tua (sua) cidade portuguesa preferida?
6—Aonde vai(s) amanhã?
7—De quem é este (esse) carro?
8—Quando (é que) chegaram?
9—Qual é o teu (seu) clube?
10—Quanto custa esse (este) vestido?

Pronomes Indefinidos I

1—tudo
2—alguém
3—nenhuma
4—muito
5—muitos
6—tantos/todos
7—Algumas
8—Tudo
9—nada
10—Cada

Pronomes Indefinidos II

1—D
2—G
3—J
4—I
5—A
6—B
7—E
8—F
9—L
10—C

Pronomes Indefinidos III

1—muitos
2—nada
3—Tudo
4—nada
5—Muitas
6—tantos
7—muita (tanta)
8—Alguns
9—todo
10—tanto

Pronomes Indefinidos IV

1—algum
2—muitas
3—tanto
4—alguns
5—todos
6—nenhum
7—muita
8—poucos
9—Qualquer
10—nada

Muito, muita,...

1—muita
2—Muitas
3—Muitos
4—muita
5—Muita
6—muito
7—muitos
8—muito
9—muita
10—muitos

Tanto/a/...muito/a...I

1—tantas
2—tanto
3—tanto
4—tantos
5—muitos
6—tantos
7—tantos
8—tantos
9—Muitos
10—tanta

Tanto/a/...muito/a...II

1—Tanto
2—tanto
3—muita
4—Tantos
5—tantos
6—tantos
7—tanto
8—tantas
9—tanto
10—tanto

Advérbios de lugar

1—ali
2—ali
3—ali
4—aqui
5—aí
6—cá
7—aí
8—aqui
9—Aqui
10—aí

Tão/tanto I

1—tanto
2—tão
3—tão
4—tão
5—tantos
6—tão
7—Tanto
8—tanto
9—tão
10—tanto

Tão / tanto 2

1—A Ana trabalha tanto que vai apanhar um esgotamento.
2—O Luís canta tão bem que vai ser contratado para um espetáculo.
3—A tia Mariana faz uns bolos tão bons que toda a gente adora os bolos dela.
4—O João Pedro conduz tão depressa que um dia ainda tem um acidente.
5—A Helena participa nas aulas e estuda tanto que é considerada a melhor aluna.
6—Os homens fizeram tão mal a montagem elétrica que vamos mandar fazer tudo outra vez.
7—O Francisco Meneses ganha tanto que não sabe o que fazer ao dinheiro!
8—A avó vê tão mal que ontem quase caiu nas escadas!
9—O Jorge estava tão cansado que foi para a cama às nove.
10—O João comeu tanto que ficou maldisposto.

Tão/tanto...Muito/a...

1—muitas/muitos
2—tanto
3—tanto
4—tão
5—muitos
6—tanto
7—tão
8—tão
9—tantas
10—muito

Graus dos Advérbios

1—melhor/muito bem
2—mais depressa/muito depressa
3—pior/muito mal
4—melhor/muito bem
5—mais depressa/muito depressa

Vamos lá recapitular! 5

1—tanto
2—muito
3—muito
4—muito
5—muitas
6—tanto
7—mais depressa
8—muitos
9—melhor
10—finalmente

Preposições I
1 — Para/para (Aonde/ao)
2 — a
3 — para
4 — ao
5 — à
6 — ao
7 — ao
8 — ao
9 — para
10 — para

Preposições II
1 — ao lado do
2 — longe da
3 — perto do
4 — em frente do
5 — entre
6 — atrás do
7 — perto do
8 — na
9 — fora da
10 — Dentro do

Preposições III
1 — em
2 — a
3 — do
4 — na
5 — a
6 — do
7 — para
8 — em
9 — de
10 — no

Preposições IV
1 — No/à/num/à
2 — Aos/ao/com
3 — no/do/ao/de
4 — No/a/a/a
5 — No/a/da
6 — À
7 — para/de/às/a
8 — de/ao/de/à
9 — à
10 — no/com

Preposições V
1 — a/na/com/de/no/às/da
2 — No/a/de/na
3 — ao/à
4 — Na/à/à
5 — ao/para/(aos)
6 — De/em/à/no
7 — no/em/de/no
8 — ao/à
9 — por/ao/pelas
10 — à/na/para/no

Preposições VI
1 — contra
2 — com/sem
3 — até/contra
4 — na/para
5 — com/desde
6 — Perante
7 — sob
8 — sobre
9 — Sem
10 — com

Vamos lá recapitular! 6
1 — tens passado
2 — muito
3 — escrevo
4 — disse
5 — ao
6 — o teu
7 — tem andado
8 — muitos
9 — foi
10 — umas
11 — ao
12 — melhorou
13 — a
14 — menos
15 — trabalhava
16 — sem
17 — ótimo
18 — para
19 — distrai-se
20 — A tua

Vamos lá recapitular! 7
1 — Até
2 — na
3 — Até
4 — Em que
5 — numa
6 — do
7 — Que
8 — de
9 — Qual
10 — sobre
11 — a
12 — dos
13 — de
14 — menor
15 — do que
16 — uns
17 — mais de
18 — para
19 — pela
20 — até

ANEXO

Algumas sugestões para a aprendizagem de Português Língua Estrangeira

1.ª Parte: Livros, CD-áudio, CD-ROM

a) Livros

- **GRAMÁTICAS E DICIONÁRIOS**

ARAÚJO CARREIRA, H.; BOUDOUY, M., *Le Portugais de A à Z,* Paris, Hatier, 1994.
GHITTESCU, M., *Dicionário prático de substantivos e adjectivos com os regimes preposicionais,* Ed. Fim de Século, 1992.
HUTCHINSON, A. P.; LLOYD, J., *Portuguese, an essential grammar,* London, Routledge, 1996.
LANCIANI, G.; TAVANI, G., *Grammatica Portoghese*, Milano, LED, 1993.
COIMBRA, I., COIMBRA, O., *Gramática Activa* 1 (níveis A1 e A2) 2.ª edição, Lidel, 2000.
COIMBRA, I., COIMBRA, O., *Gramática Activa* 2 (níveis B1 e B2), 2.ª edição, Lidel, 2000.
MANUEL MACHADO, A., *Dicionário de Literatura Portuguesa*, Lisboa, Editorial Presença, 1996.
MELO ROSA, L., *Vamos lá Continuar! (Explicações e exercícios de gramática e vocabulário* (Níveis B1, B2 e C1), 2ª edição, Lidel, 2011.
MELO ROSA, L., *Vamos lá Começar! - Gramática (Explicações e Exercícios de gramática para os Níveis A1, A2 e B1),* 2ª edição, Lidel, 2011.
MELO ROSA, L., *Vamos lá Começar! - Vocabulário (Exercícios de Vocabulário para os Níveis A1, A2 e B1),* Lidel, 2002.
MONTEIRO D.; PESSOA, B., *Guia Prático dos Verbos Portugueses,* 5ª edição, Lisboa, Lidel, 1998.
NOGUEIRA SANTOS, A., *Novos Dicionários de Expressões Idiomáticas,* Lisboa, Ed. J. Sá da Costa, 2003.
SILVA, H., QUINTÃO, *Dicionário de Provérbios,* Lisboa, Escher, 1990.
TEYSSIER, P., *Manuel de Langue Portugaise,* Paris, Ed. Klincksieck, 1984.
VENTURA, M. H.; CASEIRO, M., *Guia Prático de Verbos com Preposições,* 2ª edição, Lidel, 2004.
VILELA, M., *Gramática da Língua Portuguesa,* 2ª edição, Coimbra, Almedina, 1999.

- **Dicionários bilingues**

Collins Portuguese Dictionnary (English-Portuguese/Português-Inglês), Harper Collins, 1991.
Dictionnaire Apollo Larousse Portugais-Français/Français-Portugais, Paris, Larousse.
Dicionário Espanhol-Português/Português-Espanhol, Porto, Porto Editora.
Dictionnaire Portugais-Français/Français-Portugais, Paris, Hachette.
Novo Dicionário Lello Português-Francês e Francês-Português, Porto, Lello Editores, 1997.
Langenscheidts Taschen Wörterbuch Portugiesisch-Deutsch/Deutsch-Portugiesisch, Berlin, Langenscheidt.

- **Manuais de aprendizagem de PLE**

ALBINO, S.; CASTRO, M., *Falas Português?* (Nível B1), Porto Editora, 2009. (1º ciclo)
AVELAR, A.; MARQUES DIAS, H., *Lusofonia, Curso Avançado de PLE* (Níveis B1 e B2), Lidel, 1995.
BACELAR, L.; JUNQUEIRA, S., *Falas Português?* (Níveis A1-A2), 1º ciclo, Porto Editora, s/d. (1º ciclo)
BALLESTA, O.; BEAUCAMP, F., LEVECOT, A., *Espaços (Initiation au Portugais LV2-LV3),* CRDP d'Acquitaine, ADEPBA, 1998. (com CD áudio)
BORGES, I. e outros, *Timi 1*, Português Língua Estrangeira, nível A1, Lidel, 2008. (1º ciclo)
BORGES, I. e outros, *Timi 2*, Português Língua Estrangeira, nível A2, Lidel, 2008. (1º ciclo)
COUTINHO, I.; ALEGRIA, L., *Português a Brincar* (Nível A1 – para crianças a partir dos sete anos), Lidel, 1999.
DOMINGUES, E.; GROSSO, M. J., *Ora bem... Português L.E. - Iniciação* (manual para chineses), Direção dos Serviços de Educação e Juventude, Macau, 1995.
FERREIRA, ANA M. BAYAN; JOSÉ, HELENA. *Na Onda do Português 1* (manual de PLE com CD áudio), níveis A1 e A2, Lidel, 2010.
FERREIRA, ANA M. BAYAN; JOSÉ, HELENA. *Na Onda do Português 2* (manual de PLE com CD áudio), nível B1, Lidel, 2011.
LEMOS, H. *Comunicar em Português* (Nível elementar) Lidel, 2000. (com CD áudio)
TAVARES, A., *Português XXI*, manual de PLE com CD áudio (Nível A1), Edição revista, Lidel, 2004.
TAVARES, A., *Português XXI*, manual de PLE com CD áudio (Nível A2), Edição revista, Lidel, 2006.
TAVARES, A., *Português XXI*, manual de PLE com CD áudio (Nível B1), Lidel, 2005.

b) CD-ROM

—*Conversando pela Cidade* (CD-ROM para a aprendizagem do PLE para os níveis A2 e B1), Universidade Aberta/Lidel 2006.
—*Diálogos de um Quotidiano Português* (CD-ROM multimédia de aprendizagem do PLE para os Níveis

B1 e B2), Universidade Aberta/Lidel, 1998.
— *Dicionário Universal da Língua Portuguesa* (CD-ROM), Texto Editora (atualização *on-line*).
— *Fernando Pessoa* (CD-ROM de Leonor Areal), Texto Editora.
— *Gramática Interactiva* (CD-ROM multimédia para os Níveis A1, A2, B1 e B2, de Isabel Coimbra e Olga Coimbra), Lidel, 2001.
— *História Universal da Literatura Portuguesa,* (CD-ROM), Texto Editora.
— *Português Elementar* (CD-ROM de aprendizagem de PLE para os Níveis A1 e A2), Universidade Aberta, 2008. (Nota: O autor principal deste CD-ROM é Leonel Melo Rosa).
— *Português (inter)ACÇÃO* (CD-ROM de aprendizagem de PLE para os Níveis B2 e C1), Universidade Aberta/Lidel, 2003. (Nota: O autor principal deste CD-ROM é Leonel Melo Rosa).
— *Wordsmiths*, (Dicionário multimédia, em CD-ROM, de 15 escritores portugueses contemporâneos), Universidade Aberta, 1997.

2ª Parte: Recursos na Internet

<u>Cursos de Português</u>

Universidade dos Açores	http://www.uac.pt/intro.php
Universidade de Aveiro	http://www.dlc.ua.pt/PLEtexto.asp
Universidade da Beira Interior	http://www.ubi.pt/index.aspx
Universidade de Lisboa	http://www.fl.ul.pt/dlcp/principal.htm

<u>Dicionários e Gramáticas online</u>

Dicionário Universal da Língua Portuguesa	http://www.priberam.pt/DLPO/
Gramática da Língua Portuguesa	http://www.flip.pt/FLIP-On-line/Gramatica.aspx

<u>Economia</u>

Empresas em Portugal (Guia Net)	http://www.guianet.pt/
AICEP (Agência para o Investimento e Comércio Externo de Portugal)	http://www.portugalglobal.pt
Semanário Económico	http://www.semanarioeconomico.com/

<u>História de Portugal</u>

Associação dos Professores de História	http://www.aph.pt
Centro de Documentação 25 de Abril	http://www.uc.pt/cd25a/wikka.php?wakka=HomePage
História de Portugal	http://pt.wikipedia.org/wiki/Portugal
Portal da História	http://www.arqnet.pt/
Vidas Lusófonas	http://www.vidaslusofonas.pt/

<u>Língua e Cultura Portuguesas</u>

Biblioteca Nacional	http://www.bn.pt/
Associação de Professores de Português	http://www.app.pt/
Centro Cultural de Belém	http://www.ccb.pt
Centro Nacional de Cultura	http://www.cnc.pt/
Centro Virtual Camões	http://www.instituto-camoes.pt/cvc/aprender.html
Ciberdúvidas	http://www.ciberduvidas.pt
Cinema português	http://www.cinemaportugues.net
Fundação Arpad Szenes Vieira da Silva	http://www.fasvs.pt/
Fundação Calouste Gulbenkian	http://www.gulbenkian.pt/v1/home.asp
História da Língua Portuguesa	http://www.linguaportuguesa.ufrn.br/
Instituto Camões	http://www.instituto-camoes.pt/
Lidel (editora de PLE)	http://www.lidel.pt
Museu de Serralves	http://www.serralves.pt
Observatório de Língua Portuguesa	http://www.observatorio-lp.sapo.pt/pt
Português (inter)ACÇÃO online!	http://www.univ-ab.pt/PINTAC/
Revista *Camões*	http://www.instituto-camoes.pt/revista.htm
Portal da Língua Portuguesa	http://www.portaldalinguaportuguesa.org/

<u>Literatura Portuguesa</u>

Autores de língua portuguesa	http://www.fcsh.unl.pt/hp/end/lit_tex.htm
Projecto Vercial (A maior base de dados sobre a Literatura Portuguesa)	http://alfarrabio.di.uminho.pt/
Centro Virtual Camões	http://www.instituto-camoes.pt/cvcomindex.html, http://www.instituto-camoes.pt/cvc/index.html
Fundação Eça de Queiroz	http://www.feq.pt/
Literatura Portuguesa (Poesia, romance e novela)	http://www.citi.pt
Literatura Portuguesa (Instituto Camões)	http://www.instituto-camoes.pt/cvc/cultura.html

<u>Media</u>

Antena UM	http://www.rtp.pt/antena1/
Diário de Notícias (jornal diário)	http://dn.sapo.pt/
Público (jornal diário)	http://www.publico.pt

Rádios e Televisões Portuguesas	http://www.sintonizate.net/
RTP (televisão)	http://www.rtp.pt
SIC (televisão)	http://www.sic.sapo.pt
TSF (rádio)	http://tsf.sapo.pt/online/primeira/default.asp
TVI (televisão)	http://www.tvi.iol.pt

VAMOS LÁ CONTINUAR! Explicações e Exercícios de Gramática e Vocabulário (2ª Edição - Livro Segundo o novo Acordo Ortográfico)

Leonel Melo Rosa

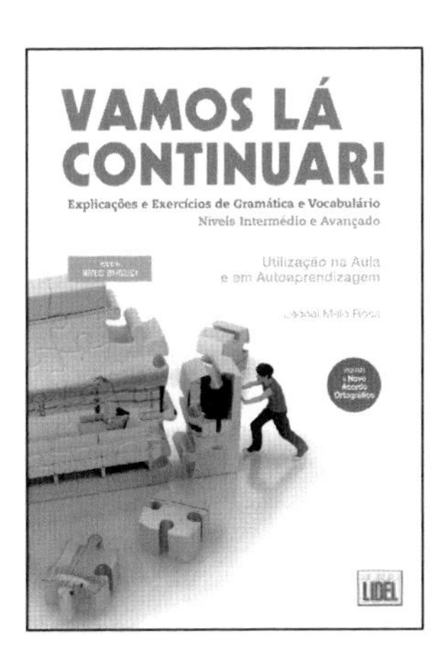

224 páginas
ISBN: 978-972-757-789-7

Vamos lá Continuar! destina-se a alunos de **Português Língua Estrangeira** (níveis Intermédio e Avançado). Tem duas partes: a primeira contém **exercícios de gramática** e a segunda de **vocabulário**. Na primeira parte, antes de cada série de exercícios correspondentes a uma estrutura gramatical, há uma apresentação dessa estrutura.
Vamos lá Continuar! foi pensado, em primeiro lugar, como suporte para as aulas, também podendo ser utilizado em situação de autoaprendizagem. No fim do livro, encontram-se as soluções da maior parte dos exercícios.
Vamos lá Continuar! também será muito útil para alunos de **Português Língua Segunda** ou mesmo para aqueles que têm o Português como língua materna.

GUIA PRÁTICO DE FONÉTICA - Acentuação e Pontuação (2ª Edição - Livro Segundo o novo Acordo Ortográfico)

Hermínia Malcata

56 páginas
ISBN: 978-972-757-752-1

O ***Guia Prático de Fonética*** destina-se aos alunos de Português como Língua Estrangeira (PLE) que pretendam não só melhorar a pronúncia do Português Europeu, mas também ter uma informação concisa sobre acentuação e regras de pontuação.
Esta obra está dividida em dois grupos de proficiência: um para alunos que estejam nos níveis A1, A2 e B1 e outro para os que estejam nos níveis B2, C1 e C2, apresentando este último explicações mais técnicas, dado que contém transcrição fonética (porém, de fácil acesso a todos os que queiram trabalhar os sons da língua que oferecem maior dificuldade).
A última parte – *Falsos Amigos* – ajuda a compreender melhor o sentido de algumas palavras cuja pronúncia e, por vezes, grafia, são semelhantes à língua materna do aprendente, mas têm significados diferentes.

GUIA PRÁTICO DOS VERBOS PORTUGUESES
(7ª Edição Revista e Atualizada - Livro Segundo o novo Acordo Ortográfico)

Beatriz Pessoa / Deolinda Monteiro

240 páginas
ISBN: 978-972-757-792-7

Através da conjugação de 48 verbos-modelo, o ***Guia Prático dos Verbos Portugueses*** visa ajudar os seus utilizadores a conjugar corretamente todos os verbos portugueses, tornando-se, assim, um precioso e imprescindível auxiliar de consulta na aprendizagem e aperfeiçoamento da Língua Portuguesa.
Este guia destina-se não só a todos os falantes da Língua Portuguesa (200 milhões), como também àqueles que a estudam como língua estrangeira.
Ao longo destas páginas, poderá encontrar respostas claras, sucintas e rigorosas para as inúmeras particularidades e dificuldades que a conjugação verbal portuguesa apresenta. Através de uma seleção e organização de noções fundamentais, este guia tenta responder, o mais exaustivamente possível, aos problemas que a utilização da conjugação verbal portuguesa levanta. As mais significativas particularidades da conjugação verbal do Brasil são referidas ao longo do Guia.
Tendo em conta um destinatário tão numeroso e heterogéneo, este guia tem como objetivo simplificar a linguagem, atualizar a terminologia e ser de fácil consulta.

GUIA PRÁTICO DE VERBOS COM PREPOSIÇÕES
(3ª Edição Atualizada e Aumentada - Livro Segundo o novo Acordo Ortográfico)

Helena Ventura / Manuela Caseiro

120 páginas
ISBN: 978-972-757-796-5

O ***Guia Prático de Verbos com Preposições*** é, essencialmente, um dicionário de verbos seguidos de preposições. Destina-se a todos aqueles, portugueses e estrangeiros, que queiram melhorar a sua competência na língua portuguesa.
Contém mais de 2000 verbos com preposições e os seus respetivos significados. Cada verbo é ainda acompanhado de uma ou mais frases exemplificativas, em linguagem clara e simples, a fim de facilitar a sua compreensão.